Yo Empresario

E. López Chamberlain

Noviembre 2.025

© Yo Empresario
© Enrique López Chamberlain
Depósito Legal: lf2522015658551
ISBN: 978-980-12-7896-2
Editor: Enrique López Chamberlain

Agradecimientos:

Quisiera expresar mi más profundo agradecimiento a todas las personas que de forma desinteresada colaboraron con su tiempo, expresándome sus opiniones y algunas sugerencias: Pancho, Larry, (Q.E.P.D.) Karla, Arturo, María Eugenia (Maru), Luis, y Leo.

También a la maestra Soleiré Rivas con el tema "Yo Empresario", porque al invitarme al colegio Valle Abierto y poder dar una charla a un grupo de niños respecto al tema, de alguna manera me inspiró a realizarlo.

Por último y no menos importante, mi especial agradecimiento a Tutty, quien tuvo la responsabilidad de la edición, por sus acertados consejos profesionales en la materia, y poniendo su valor agregado para convertir este proyecto en realidad. (tuttygarcia@gmail.com)

Este libro va dedicado a mis Padres:
Eli (Q.E.P.D.), Pancho, a mi esposa Karla,
y a mis hijas: Martha e Isabel.

Indice:

Introducción.

*"Cada logro que valga la pena, grande o pequeño,
Tiene sus etapas de fracasos y triunfos, un comienzo,
una lucha, una victoria."*

Mahatma Gandhi.

Todos llevamos dentro de nuestros corazones, un deseo que aflora durante algún período de la vida, un anhelo de algo con lo que se sueña realizar, o alguna actividad que llene de felicidad, que pueda ayudar a otros en una comunidad, y ser reconocido por el entorno más cercano de cada quien. Algunas personas logran mediante un plan de vida, una gran mayoría de los objetivos que se proponen a mediano y largo plazo, y son felices, otras personas sin embargo, no lo son tanto, ya que no pueden definir con exactitud, cuál sería esa maravillosa actividad que los pondría en la ruta de la riqueza (no solo económica), sino de la abundancia, y la prosperidad. Tampoco podemos dejar de lado, que existe una realidad aplastante de responsabilidades y compromisos para la gran mayoría de las personas, que no les permite parar y reflexionar en algún momento de sus vidas, sobre lo que realmente quieren y pueden hacer con ellas.

La verdad es que nadie podría aseverar con exactitud la obtención o preparación de la tan ansiada fórmula mágica para algunos, porque sencillamente no existe. Lo que sí puede existir es un conjunto de aptitudes, conocimientos, experiencias, y recursos que permitan satisfacer necesidades de un medio ambiente, mediante un trabajo realizado. Si partimos del punto de que todos nacemos con algún talento, o que adquirimos habilidades mediante experiencias y conocimientos, entonces todas las personas que desearan, pudieran en principio dedicarse a una actividad propia como emprendedor. Pero como veremos a lo largo del libro, ser emprendedor no es solo un escenario para satisfacer necesidades, sino que involucra también una cuota de esfuerzo, sacrificio, constancia, y dedicación.

En mi caso particular y para compartirlo con todos ustedes, en referencia a la búsqueda de mis aptitudes y habilidades, podría decirles que a mí también me tocó reflexionar para encontrarlas, en medio de una necesidad por buscar el qué hacer en estos tiempos... (buscando mi queso), pero que finalmente me di cuenta de que en la mayoría de las situaciones donde había sido más exitoso, se encontraba de por medio la escritura. Fue entonces cuando tomé la decisión de emprender por este nuevo camino, porque por encima del conocimiento adquirido y las experiencias vividas, considero definitivamente que es lo que mejor se me da.

Ahora bien, retomando la idea de ser empresario, es un grupo de actividades, las que se requieren entonces para lograr en el tiempo ser emprendedores de éxito. A lo largo del libro se irán explorando estos elementos, porque es importante reconocer cada uno de ellos. Se debe tener en cuenta, que cuando se inicia un nuevo proyecto, en la mayoría de los casos, no se posee toda la información disponible o al alcance para poder evaluarla, o cuál sería el impacto, pero esto no significa que no se pueda buscar o aprender algo de ella, y lo que representa.

Uno de los principales problemas al inicio de un emprendimiento, es que parten sobre la base amplia de suposiciones, anhelos, o deseos, en especial, si no se posee una base financiera sólida, pero los emprendimientos son y deben ser situaciones reales a las que se les deben dar respuesta. Esto trae la consecuencia inmediata de los primeros noventa días de proyecto, cuando los dueños o encargados deben utilizar frecuentemente expresiones que salen del fondo del alma: Aaaah!!!!? Queeeee!!!!? Cómo!!!!?, por no decir una que otra palabrota... Y la razón es que se empiezan a dar cuenta, que la cosa no va tan bien como se esperaba desde el mismo inicio, pero todo este escenario es normal que pase, ya que lo que está ocurriendo, es una fusión entre lo que se esperaba y la realidad de lo que debe ser, creando así un nuevo camino a ser recorrido.

La idea principal del libro es tener algunas notas de referencia de diversos temas que considero importantes para minimizar los riesgos, que permita al lector pasearse por algunos aspectos de forma sencilla, al iniciarse en este maravilloso mundo de ser empresario. Se sugiere, entonces, el no utilizarlo como herramienta de consulta para solventar casos particulares de Empresas ya constituidas. Para estos casos se van recomendando especialistas en cada área, que podrían dar las soluciones más acertadas y prácticas a los problemas de cada caso en particular, porque cada negocio debe ser considerado único, como se verá más adelante, por el tipo de empresa, su organización, el producto o servicio ofrecido, su estructura de costos, su know-how, y lo más importante, el cómo se relacionan cada uno de estos elementos entre sí.

Cada capítulo posee un tema en particular, que a mi juicio debe ser analizado. De igual forma, es recomendable el leer cada tema por separado para no perderse en la lectura, ya que aunque se hizo un esfuerzo por mantener un lenguaje claro y accesible, es mucha la información que se trató de sintetizar, y la idea en principio es que se puedan aprovechar todas las recomendaciones expuestas a lo largo del libro.

Evaluando Posibilidades.

"Ser empresario es vivir unos pocos años de tu vida como nadie quiere, de tal forma que puedas disfrutar de tu vida como nadie puede."

Anónimo.

Podemos emprender un negocio mediante el desarrollo de una idea, o la puesta en marcha de un invento. Dijo Platón una vez que ¨*la necesidad es la madre de todos los inventos*¨ y tuvo razón, a través del tiempo podemos comprobar que cada uno de ellos, han ayudado a mejorar la calidad de vida del ser humano. En un principio, los esfuerzos estuvieron orientados a cubrir necesidades básicas como la energía, el transporte, la comunicación, la producción en masa, entre otros. Hoy en día los inventos más relevantes se referencian en las áreas de la tecnología y la ciencia. Cada uno de los inventos a lo largo de la historia fueron producto del intelecto y la creatividad de hombres y mujeres, que luego de muchos años de investigación, lograron sus objetivos, y que más tarde se desarrollaron para ser comercializados.

Las ideas, por otro lado, aunque suelen ser planteamientos más concretos y simples, también aportan soluciones al tema planteado de las necesidades. Las más comunes incluyen la elaboración de trabajos manuales, la prestación de servicios, y la comercialización de productos.

Se expone un ejemplo gráfico para una mejor comprensión de los escenarios que podrían plantearse con el tema de los emprendimientos y las necesidades. Imagine un área de 03 dimensiones llenas de pelotas que por efecto del viento se desplazan de forma libre y aleatoria (sin una dirección fija). Luego hay pelotas con el signo más (+) que representan a las personas con ideas, mientras las de signo menos (-), representan a las personas con necesidades o problemas, tal y como se muestra en el siguiente cuadro.

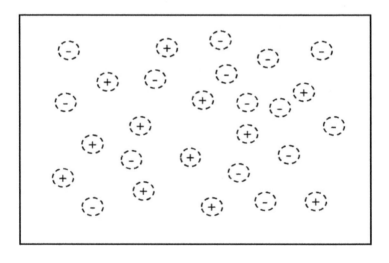

Producto del movimiento constante, llegará el momento en que las pelotas se empezarán a cruzar, unas con otras, formando espacios en común.

Estos nuevos espacios de interacción, permiten la comunicación de unos con otros, tales como pensamientos o inquietudes, y podrían generar ideas para solventar una necesidad o varias a la vez. Se empezarían a crear posibles soluciones a situaciones propias, de terceros, o comunes, dependiendo entonces de todas las posibles interacciones, tal y como se muestra en el siguiente gráfico. Está claro que si alguno de los elementos no desea interactuar, no existe la posibilidad de generar alguna solución.

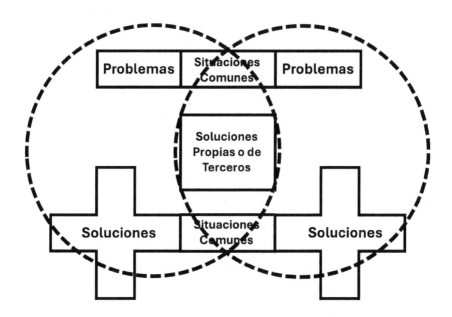

Para los casos en que interactúan dos personas con signo negativo, la situación más probable es que se unan para lograr esfuerzos en conjunto, y mejorar así su entorno. También puede ocurrir que una persona con signo positivo se conecte con otra de signo negativo, donde el de signo positivo, si sabe interpretar la necesidad de la otra persona, podría estar en un nicho de oportunidad, ya sea por un nuevo negocio, o por crear un vínculo positivo con la persona de signo negativo, al tratar de solventar su preocupación del momento. Por último, cuando dos personas de signo positivo interactúan, se crea un escenario de negociación, donde cada parte decide qué hacer con la propuesta del otro. Generalmente, las personas con signo positivo son emprendedoras y proactivas por naturaleza.

En la medida que exista una mayor cantidad de gente con la misma necesidad, se hará más evidente detectarla en el entorno, y en consecuencia, habrá más personas dispuestas a solucionarlas o satisfacerlas (económicamente hablando), pero resolver necesidades a una mayor cantidad de personas, también requiere de un mayor esfuerzo y una mayor cantidad de recursos.

Está claro entonces, que el objetivo principal de un emprendedor es el de satisfacer necesidades de un entorno o mercado, y que mediante el trabajo, esta satisfacción de necesidades es lo que conlleva a la contraprestación del esfuerzo... La ganancia. La pregunta lógica sería entonces, ¿Para qué estarían más capacitados, para inventar algo o desarrollar una idea?

Pero no basta con tener una sola idea que permita satisfacer necesidades, la verdad es que existe un escenario más amplio que se debe tomar en consideración, al momento de emprender alguna actividad o negocio, porque los negocios no son únicos, o están aislados, es decir, forman parte de lo que realiza una sociedad activa, y eso trae como consecuencia la interrelación de personas en todas direcciones (empleados, clientes, proveedores, competencia, familiares, amigos), unido a las capacidades personales de cada quien para resolver problemas, o reaccionar de forma favorable y oportuna, a los cambios externos o internos que se presenten. Se nombran a continuación algunas de las situaciones o consideraciones que se deben tener claras antes de iniciar un emprendimiento, y que más adelante se irán desarrollando con más detalle:

Ningún negocio es malo. Se debe tener en consideración que el negocio que se inicia es como un bebé recién nacido, que requiere de todo el esfuerzo, recursos, y el trabajo sin descanso. Es por eso que es recomendable, no tener grandes expectativas en el corto plazo, ya que pudieran convertirse en desaliento o abandono de la idea o proyecto, cuando se trata de abarcar un proyecto medianamente importante desde el principio, caemos en la situación de niño pequeño, problema pequeño, niño grande, problema grande, pudiendo no estar capacitados para manejarlo, o no tener el tiempo suficiente que este requiera (gestión propia, o falta de una gestión delegada), ya que también constituye una buena fuente de estrés como proceso de prueba y aprendizaje, al asumir una responsabilidad adicional a las que ya se tengan.

Se debe destacar que no es el invento o la idea como tal lo importante, sino tal vez el número de personas que se beneficiaron de él, es decir, el número de personas que estuvieron de acuerdo en utilizarlos y pagar por ellos. No sirve de nada una idea o invento que parece buenísimo en un principio, pero que luego a nadie le parezca atractivo, por cualesquiera que sean las razones. Evaluar la posibilidad o factibilidad, en un principio, con una persona experta, conocedora del producto o servicio a ofrecer, o del mercado en sí, donde se desee ofertar, nunca está de más. Esto permitirá tener alguna referencia de aceptación del producto o servicio por parte de la gente, y la estrategia que se deba aplicar en consecuencia.

La persona que emprende un negocio, *necesariamente tiene que tener experiencia previa o conocimiento del área* que desea emprender, eso constituye una gran ayuda a la hora de elaborar o comercializar un producto, prestar un servicio o una asesoría. Es una gran pérdida de tiempo el iniciar un negocio en donde no se tiene idea de lo que se va a hacer, o el cómo debe hacerse, simplemente porque vemos que otras personas que realizan la actividad, y les va bien, probablemente entonces, esos Empresarios que sí conocen del negocio, estarían con una ventaja comparativa a la hora de competir en el mercado. Además, el no conocer el negocio se puede convertir en una situación de ensayo y error, y se corre el riesgo de perder el interés en el corto plazo, porque como dijimos, sólo se conoce el resultado, y no todo lo que se debe hacer para lograr la ganancia, o el sacrificio que conlleva.

Se debe definir, la Visión, la Misión, y los Valores de la Empresa, los que van a determinar las políticas en el corto, mediano, o largo plazo. La visión define el cómo se proyectará la Empresa en el largo plazo. La misión es su razón de ser, lo que hace, y los valores, representan la forma de cómo hacerlo. Realizar esta actividad, va a permitir una guía clara de lo que se quiere en el corto, mediano, o largo plazo.

Se debe aprender a manejar el tiempo para cada asunto, es decir, debe haber un equilibrio en el tiempo para el trabajo, el tiempo para el ocio o descanso, y el tiempo para la familia. Todos podemos ser reemplazados en el trabajo, aun siendo dueños, sin embargo, no podríamos reemplazar el cariño como parte de una familia en caso de que falte. Por mucha pasión y deseo que exista por emprender un nuevo negocio, debe existir sentido común y cordura, ya que tampoco es buena idea suprimir o canjear tiempo de ocio familiar por trabajo. La vida es corta, pero los momentos son recuerdos eternos.

Es importante que se puedan determinar las actividades que requiere la Empresa para ser sustentable en el tiempo, asignándole un responsable, y en un futuro cercano, cuando se requiera de personal adicional, se puedan traspasar esas mismas responsabilidades sin problemas. Esta es una actividad que debe ir actualizándose en el tiempo de acuerdo a los nuevos requerimientos de la Empresa, o los clientes. Se debe evitar por todos los medios aquella frase que dice: *"El que está no sabe, y el que sabe no está".*

No todo el mundo sabe de todo, todo el tiempo, a medida que se vayan detectando fallas por falta de conocimiento en algún área en específico, se debe solucionar de forma oportuna, mediante cursos o asesorías, evitándose así, situaciones no deseadas a futuro.

De igual forma, cuando exista más de un socio, *se debe estar de acuerdo en cómo manejar el personal,* las responsabilidades de cada empleado, supervisor, o gerente, para que se mantenga una misma línea de criterios frente a ellos. Con este proceder, se evita la confusión entre los empleados en la forma de actuar del día a día.

Contar con un apoyo inicial profesional adecuado en cuanto al área legal y contable, que les permita cumplir con todas las obligaciones básicas legales (Documento Constitutivo, Asambleas, Aprobación de Balances, cambio de Accionistas, etc.), fiscales (SENIAT, Impuestos Municipales, entre otros), parafiscales (S.S.O., Lopcymat, Sencamer, Bomberos, etc.). La idea principal de esto, es que deben trabajar con base a un escenario de mínimo riesgo, que pueda entorpecer el normal desenvolvimiento de la Empresa a futuro, en especial, al principio, cuando se tiene poca o ninguna experiencia al respecto, frente a los diferentes factores externos del día a día.

Cuando se habla de la obtención de un producto, *se debe tener en cuenta la materia prima para producirlo,* por lo que es bien importante, cuáles serían los más ideales o cuáles podrían ser los sustitutos en caso de que falte, cuáles serían los proveedores más confiables en cuanto entregas, precio, y calidad. De igual forma, para los servicios, cuáles serían los insumos que se requieren y los proveedores disponibles. Tratar siempre de tener un plan "B", es una manera sana de poder mantenerse en el negocio.

Se debe tener una actitud proactiva, vocación de servicio, respeto por la Empresa, y mantener buenas relaciones con todos los clientes, proveedores, y empleados, de manera de poder tener siempre las puertas abiertas con todas las personas con las que el negocio debe tener relación. Evitar por todos los medios conflictos innecesarios, porque uno nunca sabe cuándo se puede necesitar de esa persona en un futuro, además, no hay nada más destructivo que la publicidad negativa, venga de donde venga (clientes, proveedores, o de empleados).

Las siete características de los emprendedores:

Pasión, el trabajo no se considera una obligación, sino algo que produce placer hacerlo.
Ambición, se asumen riesgos de manera natural.
Iniciativa, se posee la fuerza para iniciar proyectos.
Superación, capacidad de levantarse ante los fracasos.
Creatividad, habilidad de dar ideas para resolver problemas.
Liderazgo, visión y capacidad de convocar a otros.
Organización, busca los medios más apropiados para lograr los objetivos.

Se debe tener claro cuánto se requiere para invertir, cuándo debería ser invertido en el tiempo, y bajo un criterio de escasez en el corto plazo, porque como ya hemos explicado, es mejor idea comenzar en un escenario sencillo, en donde el mayor esfuerzo debe estar orientado en el recurso humano, mejorar la calidad del producto o servicio ofrecido, consolidación de una estructura organizativa, labor de siembra y promoción, y bajo el esquema planteado en el punto anterior.

La consolidación del proyecto va a consistir en ir logrando las metas a la par de cómo se actúa o se resuelven una secuencia de cambios a lo largo del tiempo, porque todo se transforma para bien o para mal, nada queda estático, ya sea que se generen situaciones internas o externas que favorezcan o afecten el negocio. Un escenario de mínimo riesgo permite que las situaciones adversas, no lo afecten de forma significativa, además de que se permitiría detectar y tomar decisiones de forma oportuna, en caso de ser requeridas. Por otro lado, también es importante estar en la constante búsqueda de nuevas materias primas, insumos, recurso humano, o tecnologías, lo que trae como consecuencia una mejor atención o productos para los clientes, en especial aquellos negocios dedicados en el área de producción, donde dichos cambios impactan con más relevancia en el producto final, ya sea en calidad, volumen, diversificación, entre otros.

> *Luego de haberse paseado por todos los puntos anteriores, y de haber tenido consciencia de lo que significa ser emprendedor, es momento de reflexionar para tomar la decisión de si se quiere o no seguir adelante...*

Es importante que para darle formalidad y poder desarrollar los inventos o ideas, se cree una Empresa, que es la figura legal para tal fin, y concebida mediante el registro de un Documento Constitutivo ante la autoridad competente, como persona jurídica. Al principio, se requirieron Empresas para realizar grandes proyectos, que por lo general involucraban grandes inversiones aportadas por varios grupos de personas, y la figura de la Empresa o acuerdos firmados, permitía la seguridad legal para todos esos financistas y emprendedores. A medida que fueron surgiendo más y más inventos, toda clase de Empresas se fueron creando, diversificándose los acuerdos cada vez más, hasta llegar a lo que tenemos hoy en día, en donde no solo es importante crear una Empresa, sino que existe todo un marco legal que regula su creación y funcionamiento.

Las Empresas u Organizaciones se pueden clasificar por el tipo de actividad que realizan, por el tipo de producto, por el sector en que se encuentran, por la zona geográfica donde operan, por el tipo de acciones emitidas, por el número de empleados, etc. Se describe a continuación, a manera informativa, como se dividen las Empresas por el tipo de actividad que realizan.

Empresas Básicas: Son aquellas Empresas que se encargan de extraer productos minerales del subsuelo, generalmente son manejadas por los Estados, o están regidas por regulaciones especiales. Entre los productos extraídos se encuentran el petróleo, el gas, piedras preciosas, oro, carbón, sal, entre otros.

Empresas Agrícolas: El objetivo principal de estas Empresas es la explotación del suelo y medios acuáticos, mediante la siembra y recolección de verduras, hortalizas, y frutas; también, entran todo lo referente a la Ganadería, la Pesca, Criaderos de Peces, entre otras.

Empresas Industriales: Son Empresas que obtienen la materia prima y mediante procesos los transforman en productos finales o intermedios, generalmente, manejan grandes volúmenes, ya que se realizan mediante grandes maquinarias y equipos.

Empresas Financieras: Son las Empresas encargadas de proveer el dinero a las Empresas que lo necesiten, mediante un suministro de capital, ya sea para cumplir con sus obligaciones de corto plazo, o para utilizarlo como inversión a mediano o largo plazo. Dentro de este rubro se incluye al sector de Empresas de Seguros, por la correlación positiva que existe entre el ingreso que generan sus productos, y el riesgo que se asume para producir dichos ingresos.

Empresas de Servicios: Son aquellas que, como su nombre lo indica, corresponde a los servicios que prestan, pero a gran escala, tales como el agua, la luz, la comunicación. Generalmente por razones de estrategia, también son asumidas o reguladas por los Gobiernos. Otro ejemplo de este tipo de empresas son las Empresas de Entretenimiento (canales de televisión, radio, industria del cine, teatros, parques de diversión, zoológicos, entre otros), ya que aunque no se consideran productos, poseen una infraestructura, y su finalidad es el entretenimiento, o generan información para ser compartida (producen un bien intangible).

Empresas Comercializadoras: Las Empresas Comercializadoras tienen el objetivo de obtener productos provenientes de una fábrica o industria, con la finalidad de llevarlos o distribuirlos a mayoristas o comerciantes al detal. Generalmente, manejan grandes volúmenes de mercancías o productos para el consumo.

Empresas sin Fines de Lucro: Son aquellas Organizaciones cuyo objetivo principal es llevar ayuda a personas que lo requieran. Un ejemplo de esto es la Cruz Roja Internacional, la Sociedad Anticancerosa, la Iglesia, entre muchas otras.

Empresas Mixtas: Son aquellas Empresas cuyo capital está conformado por dos partes plenamente identificadas y de dos sectores diferentes: Público y Privado, de dos países diferentes, etc.

Finalmente, Empresas a menor escala, que son las que vamos a estar tomando en consideración:

Empresas del Sector Comercial: Correspondiente a locales y tiendas al por menor, donde compran la mercancía a proveedores mayoristas, con la finalidad de venderla a un cliente final.

Libre ejercicio profesional: Que abarca todo el sector profesional, y cuya función es asesorar en alguna materia específica a terceros, o hacer trabajos o actividades que requieran algún conocimiento o talento en particular.

Libre ejercicio técnico: Que realiza labores manuales, preventivas, o correctivas a los bienes muebles, o inmuebles, y que también requieren de un perfil.

Empresas Artesanales: Cuya función es crear u ofrecer, mediante labores manuales, algún producto o servicio en pequeña o mediana escala.

Cada una de estas Empresas tiene características especiales que se irán evaluando a lo largo de cada tema en particular, cuando sea requerido, en cuanto al manejo operativo y administrativo, sistema de evaluación y control, entre otros. Nuevamente se pregunta, ¿Qué tipo de Empresa es la que más se asemeja con la actividad que se desea realizar?

Desarrollando Ideas

"Cada cosa lleva a otra, que a su vez conduce a otra.
Si te concentras en hacer la más pequeña,
Luego la siguiente y así sucesivamente.
Encontrarás que logras hacer las más grandes cosas,
habiendo hecho las pequeñas"

John Weakland.

Al principio se hizo referencia a que un emprendedor es aquel que detecta una necesidad y la manera de satisfacerla o solucionarla, pero también, se hizo la acotación que eso es tan solo una visión muy general de lo que se puede hacer, porque se debe determinar entonces la forma de cómo llevarla a cabo o desarrollarla.

Para el caso de los inventos, lo más probable es que se utilice un método científico, y en consecuencia, se tenga previsto dentro de las actividades necesarias para obtener el producto o servicio, entre otras cosas, una evaluación del mercado hacia el cual va dirigido y el valor agregado que representaría el uso para las personas que lo utilicen, por lo que disminuiría en este caso el riesgo de no venderlo, quedando solo la tarea de distribuirlo y comercializarlo. Pero ¿Cómo se puede desarrollar una idea? Es hora de ampliar el tema al respecto.

Pues bien, las ideas se desarrollan mediante el estudio y reconocimiento de cada proceso que se requiere para ponerlas en uso, determinando el detalle de las actividades que involucran cada uno de esos procesos en el tiempo, lo que permite identificar de forma precisa, lo que se debe hacer.

Pero antes de determinar procesos y actividades, se debe comenzar por evaluar el Documento Constitutivo de la Empresa, el cual constituye su columna vertebral. Este Documento, entre otros aspectos, determina el alcance y la forma como deben ejecutarse las actividades, crea dos estructuras organizativas principales con cargos, la de los Socios (que representa a los dueños) y la de la Junta Directiva (que representa a la organización encargada de realizar las actividades como Empresa), a cada cargo se le asignan funciones de forma separada o conjunta, por lo tanto, no se puede empezar a trabajar en alguna de las actividades, sin antes tener claro lo que el Documento Constitutivo expresa, autoriza, o designa.

Sin embargo, aunque estos Documentos Constitutivos generalmente son elaborados con suficiente amplitud, como para no crear algún tipo de problema legal o administrativo a futuro, se debería estar pendiente con esto, en especial, cuando se trata de adquirir una franquicia, donde se asumen responsabilidades de fiel cumplimiento con procedimientos específicos, que no pudieran estar permitidos en principio en el Documento Constitutivo, o causen retrasos al momento de aplicarlos.

Existen varios procesos importantes por los cuales una Empresa debe pasar: Inversión Inicial, Producción del Producto o Servicio, Promoción y Venta, Administración, y Evaluación y Control. Dependiendo entonces del tipo de Empresa, cada uno de ellos se irá desarrollando en mayor o menor proporción. Una buena idea para empezar a desarrollar los procesos es preguntar: ¿Qué proceso básico deseo emprender?, ¿Cómo o cuándo debo emprenderlos?, ¿Cuáles son los beneficios o contratiempos que generan las actividades de cada proceso escogido?

Se debe analizar entonces las diferentes opciones que se ofrecen en el mercado, ya que para poder realizar los procesos y actividades dentro de la Empresa, se va a requerir inicialmente y durante el período de su vigencia (dependiendo del negocio) de equipos, maquinarias, materia prima, inventario, insumos, y servicios producidos por proveedores externos. La Empresa no se puede autoabastecer de todos los activos o servicios para su normal desenvolvimiento, por lo que se recomienda hacer un cuadro comparativo que permita su análisis para la mejor decisión. Cualesquiera que sean las opciones que decidan tomar, deben estar enmarcadas dentro de las expectativas planteadas inicialmente (visión, misión, valores).

Luego, una vez tomadas las decisiones en cuanto a la escogencia de los proveedores que van a acompañar a la Empresa, se debe analizar los requerimientos de cada proveedor, para poder adaptarlos a los procesos y actividades internas, en cuanto a procesos técnicos, operativos, o administrativos, determinando su grado de importancia, el tiempo que se requiere para realizarla, la cantidad de veces que se debe realizar una actividad en específico, o la periodicidad en que deben ser realizadas, las personas para hacerlas, posibles situaciones de conflictos y cómo solucionarlos, etc.

Se debe considerar que al principio puede resultar muy sencillo, y si se quiere hasta ridículo el pensar que se deben cumplir con la realización de actividades, porque cuando se maneja una pequeña cantidad (actividades), generalmente todo se realiza de forma inconsciente, dado que no representa un mayor esfuerzo (físico o mental), pero a medida que se van incrementando las actividades producto de detallarlas, o un aumento en el volumen de producción o las ventas por ejemplo, se requiere de repetir las actividades un mayor número de veces durante el mismo período de tiempo, las cuales según la teoría del caos, variarán de forma poco significativa al principio, pero con el paso del tiempo y realizando la misma actividad, esto cambiará de forma tal, que las actividades no se realicen como se planearon inicialmente, producto de que en la mayoría de los casos, existen imprevistos ocasionados de forma interna o externa.

Otro punto importante a destacar es que a medida que se realice, repita, o aumente una actividad, se generan dos efectos opuestos importantes, el primero porque aumenta la presión de la persona que los realiza, pudiendo cometer errores, y el segundo por el aumento en el grado de confianza que surge por la experiencia que se va adquiriendo al realizarla. Una de las áreas más afectadas por esta particular situación es en Ventas y Atención al Cliente, ya que en muchos casos los empleados o supervisores asumen comportamientos subjetivos, ya sea por falta de entrenamiento, grado de conocimiento o perfil (actitudes propias), entre otras situaciones, generando una disparidad de criterios entre los empleados al atender a los mismos clientes, y sus actitudes podrían estar además, en contra de los intereses de la Empresa.

Un buen indicativo para ejercer acciones de revisión y cambios de asignación de actividades, es cuando se observa que las cosas ya no van tan bien como se esperaba, es decir, porque se detecta que se dejan de hacer actividades de forma correcta, o se realizan de forma parcial. Es casi impredecible y difícil de detectar o reconocer, cuando uno pasa de una zona confortable donde todo está bajo control, a otra donde se empieza a perderlo, producto simplemente del día a día. Es importante entender entonces, que una vez que se detecten las fallas, se deben tomar acciones para corregirlas, ya sea mediante un procedimiento de control en el reforzamiento de las actividades o políticas de la Empresa, o la inclusión de una nueva persona que se encargue de realizarla, porque lo que usualmente ocurre es que al principio, es el dueño que realiza una gran cantidad de actividades, y cómo es él el que se equivoca, no le da la debida atención y se asume la posición errada con algo de culpa, de que no importa lo malo que pasa o lo bueno que deja de pasar, y por ende no hay cambios, trayendo posibles consecuencias a futuro, o asumiendo escenarios de riesgo innecesarios dependiendo del error, o el tiempo que se queda sin resolverlo.

Se empezarán a definir cada uno de los procesos principales por los que una Empresa debe pasar, lo que sin duda ayudará a definir las actividades necesarias de cada negocio en particular.

INVERSIÓN. Se requiere conocer primero que nada, cuánto costaría poner en marcha el emprendimiento. Dependerá entonces del tipo o tamaño del proyecto, para tomar la decisión de que si solo basta con echar cuentas de manera general, para evaluar y saber si el negocio es factible o no, o se requiere de un estudio más complejo (caso de negocios), para soportar su factibilidad financiera (referido en el último capítulo como complemento, ya que abarca todos los temas del libro). Pero de dónde van a provenir los fondos para llevar a cabo el proyecto también es importante, porque eso generaría una carga financiera adicional o no, dependiendo del tipo de financiamiento que se aporte. Existen varios tipos de financiamiento:

Propio, de familiares, o amigos: Este tipo de financiamiento se corresponde con los ahorros o excedentes que posee la gente, y quienes están dispuestos a invertir en el negocio. Generalmente, en la mayoría de los casos no ocasionan alguna carga financiera (intereses), sin embargo, dichos aportes podrían ser negociados a cambio de una participación en el negocio.

En caso de que el aporte lo otorgue una persona poco conocida, debiera ponerse especial atención, pues su interés principal como socio capitalista, es de mejorar la rentabilidad de sus excedentes, ya sea que desee vender su participación a terceros una vez que el negocio se vea bien y tome forma, o trate de aportar una mayor cantidad de dinero en esta etapa inicial (financieramente crítica), con la finalidad de adueñarse de un mayor porcentaje en acciones, y por ende, obtener el control sobre el negocio en el mismo corto plazo.

Entidades Financieras: Son otorgados por los bancos y otras instituciones financieras creadas para tal fin. Generalmente, los principales factores que evalúan para el otorgamiento del crédito, son el riesgo y las garantías ofrecidas. Para el riesgo se evalúa la estructura organizativa que lidera el proyecto, su nivel técnico, y la experiencia en el área, la infraestructura, los equipos requeridos, y los informes técnicos que avalan su funcionamiento, y el proyecto de factibilidad financiera. Para el caso de las garantías, generalmente se hipotecan bienes familiares, o los bienes a ser adquiridos por la Empresa, para garantizar su pago. Este tipo de financiamiento, posee una gran carga financiera al proyecto que se desea emprender, por los intereses generados, que van a depender del monto solicitado, la tasa de interés, y el tiempo en el cual se pueda cancelarlo.

Para todas las Empresas que requieran de solicitar un capital para iniciarse, el procedimiento en principio, es igual para todas, la única diferencia que podría existir, consiste en el proveedor escogido, ya sea por un financiamiento del tipo personal/familiar o el bancario, el cual determinaría las acuerdos que deben cumplirse, los recaudos necesarios, los beneficios que se otorgan, y los productos o servicios que se ofrecen.

Las actividades en referencia a la inversión se resumen en hacer un cronograma de acuerdos de pagos, cuando sea por aportes personales, de manera de asumir el compromiso. En cuanto al préstamo solicitado a través de entidades bancarias, el cronograma de pagos, una vez aprobado, lo elabora el banco en sí, lo que habría de estar pendiente es en el pago de las cuotas.

También hay que tener presente todos los requerimientos del banco para realizar operaciones de todo tipo (apertura o cierre de cuentas, depósitos, cheques, transferencias, solicitud de chequeras, cortes, saldos, los temas Parafiscales como Ley de Política Habitacional (Venezuela)), entre otros, de manera de poder tener actualizadas todas las actividades internas relacionadas con la entidad bancaria, para acceder a la información de forma oportuna en caso de ser requerida.

PRODUCCIÓN. Una vez obtenido el financiamiento, pasamos a la siguiente fase, que sería evaluar lo que se requiere para hacer un producto o prestar un servicio. Para hacer más sencilla la explicación, se van a separar cada uno de ellos, puesto que guardan una gran diferencia entre sí.

Se presenta a continuación un gráfico donde se representa la producción de un producto en condiciones normales, el cual va a estar determinado por dos procesos principales: El primero con la producción del bien (números grises, ángulo inferior izquierdo) en donde se compra la materia prima y se generan los inventarios en materia prima, se procesan estos inventarios con la finalidad de obtener productos, que luego se transforman en productos terminados. Cumplido esta fase, los referidos inventarios de productos terminados pasan a ser manejados por el área de ventas en el ciclo 02 (números negros, ángulo inferior derecho). Al venderse los productos, bajan los inventarios de productos terminados, por lo que se debe iniciar el proceso inicial de producirlos nuevamente.

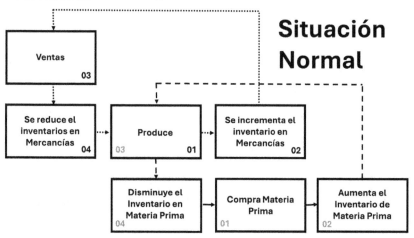

Sin embargo, para los casos en estudio el esquema es más simple, ya que al principio es común que se produzca contra pedido, sin manejar inventarios de materias primas, o en otros casos, con un mínimo de inventarios en productos terminados. Al trabajar contra pedido, el proceso sería que se toma la venta, se compra la materia prima para producirlo, y luego este producto elaborado genera la venta. El remanente de la materia prima debería ser mínimo, pero se podría mantener para complementar otro pedido, o podría utilizarse para elaborar otras cosas en caso de ser productos perecederos.

Situación Inicial

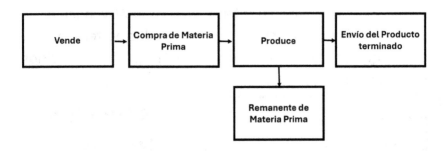

Se puede observar que para una situación inicial no existen dos procesos básicos, el manejo de las materias primas y la producción de los productos, ya que no se mantienen los inventarios como consecuencia de la falta de continuidad en las ventas en un principio. Pero el paso de un esquema sencillo a otro más complejo, como el expresado inicialmente, puede llegar sin previo aviso, y por eso es muy importante el definirlas, para que sin importar el volumen de productos que se hagan, siempre se mantenga el esquema de abastecimiento continuo. Esto va a permitir que, una vez que se creen, darle la importancia que amerita, y la persona que estaría encargada de realizarla.

Reforzando el párrafo anterior en referencia a que los volúmenes de producción pueden variar en el corto plazo, existen algunas consideraciones que se deben evaluar entonces cuando se realizan productos bajo un esquema normal, ya que implican necesariamente una mayor compra o arrendamiento de activo fijos (infraestructura y maquinaria), o la compra de inventario en materias primas. Hay que tener en cuenta que lo que es importante en este momento, es definir la actividad de producción (primer ciclo), porque las ventas y el manejo de los inventarios serán expuestos más adelante. Para poder definir estas actividades dentro de este proceso primario, se debe evaluar lo siguiente:

En cuanto a la infraestructura: ¿Posee todos los servicios que se requieren? ¿El Espacio es adecuado a lo que se necesita (producción y almacenaje)? ¿Se cumple con la normativa legal en cuanto al tipo de negocio y la zonificación permitida en la Alcaldía donde se encuentre?

En cuanto a la maquinaria: ¿Posee todo el personal capacitado para operarlas? ¿Requiere de alguna especificación en los servicios para su funcionamiento? ¿Requiere de materia prima específica? ¿Existe alguna manera de controlar cuando el rendimiento de la maquinaria no es óptimo? ¿Cuál sería su plan de mantenimiento preventivo o correctivo (repuestos) en caso de ser necesario?

En cuanto a la materia prima: Conocer todos los proveedores disponibles para poderlos clasificar, por calidad en el producto entregado, relación costo/valor, descuento por volumen y pronto pago, tiempos de entrega, costos asociados (transporte), políticas de las devoluciones, entre otros. Existen otras consideraciones importantes, en lo que concierne al manejo de materiales peligrosos como materia prima, donde debe existir un protocolo de seguridad para la manipulación y almacenaje, pero que generalmente son ejecutadas por grandes Empresas porque requieren de una permisología especial

Retomando el enfoque de las actividades, se debe definir entonces cuáles son importantes al momento de producir y manejar el inventario de materias primas. En relación con el ciclo de producción, los entes involucrados son el personal, la maquinaria, el espacio físico, mientras que para los inventarios de materias primas se involucran la recepción, manejo, utilización de la materia prima, y el espacio físico donde las almacenan.

Ciclo de producción: Se deberían realizar actividades de entrenamiento de personal, manipulación y condiciones técnicas en que deban mantenerse los equipos, procedimiento de mantenimiento en la detección de fallas de los equipos, condiciones del medio ambiente de trabajo, uso de cualquier implemento de seguridad tales como guantes, lentes, protectores, botas, entre otros.

Ciclo de la materia prima: Deben realizarse actividades de control en cuanto a la entrada de cantidades y condiciones en que se recibe, es la única forma para que se puedan reconocer devoluciones y reclamos por exceso o falta de un producto en particular por parte del proveedor, actividades de manipulación y condiciones para el almacenaje, tratando de alargar la vida útil de la materia prima, y actividades de control para la salida de cantidades de la materia prima para el proceso productivo.

Le toca el turno a la producción de los servicios, donde se puede involucrar a las Empresas de Libre Ejercicio Profesional, Libre Ejercicio Técnico, y las Empresas Artesanales que ofrecen sus servicios. Se debe tener claro que al prestar un servicio se está en contacto directo con el cliente, y por ende se involucran también los temas de atención al cliente, y la promoción y ventas, los cuales veremos más adelante, por lo pronto, se separarán las actividades que se involucran en este proceso

Servicios Profesionales Técnicos: Obedecen generalmente a man tenimientos preventivos, correctivos, o modificaciones de infraestructura en un lugar específico, por lo que igual se va a requerir de conocimiento, herramientas, insumos o repuestos, según sea el caso.

Servicios prestados por las Empresas Artesanales: que involucran algún procedimiento manual. Generalmente, esta clase de servicios requieren de un espacio o local comercial, ya que es dentro del local, donde se encuentra todo el equipamiento o utensilios para poder prestar el servicio. Algunos ejemplos de ellos serían talleres, reparación de equipos electrónicos, peluquerías, gimnasios, etc.

Como ya se explicó en el párrafo anterior, las actividades relacionadas corresponden en este caso al buen uso de todos los equipos, infraestructura, mobiliarios, herramientas, registro y control de la materia prima e insumos, o cualquier implemento de seguridad que sea requerido al momento de realizar la actividad.

De igual forma, como en el proceso de producción, serían importantes todas las actividades respecto al almacenaje y control (entrada y salida) de los insumos, utensilios, herramientas, y similares para el caso de la prestación de los servicios.

PROMOCIÓN Y VENTAS. Las ventas siempre serán el corazón del negocio, porque suministran los recursos para todas las áreas de la Empresa, mientras que las promociones son los eventos que las impulsan.

A continuación, se va a ir realizando de manera sencilla cada aspecto en lo que respecta a la promoción y las ventas para que se puedan determinar las actividades requeridas en este importante proceso. Las promociones pueden ser puntuales, estacionales, o permanentes, y se utilizan para lanzar un nuevo producto o servicio al mercado, para incrementar las ventas, como cumplimiento de metas, salir de algún inventario obsoleto o de estación, como respuesta a alguna promoción de la competencia, entre otras. También se pueden utilizar políticas de descuentos por volumen y pronto pago como medio de promoción, en caso de que las ventas sean a crédito. La publicidad, por otro lado, es el impacto que se logra con los medios por los cuales se realiza una promoción, ya que involucra el contenido (textos, imágenes, etc.) y la forma cómo deben hacerse. Cada publicidad es diferente, pues va orientada principalmente a un grupo de personas con características similares, al cual se quiere captar. Existen muchos medios tradicionales (volantes, material POP, prensa, radio, o televisión) y electrónicos (redes sociales) por los cuales se pueden hacer promociones, y van a depender de la capacidad financiera que se posea.

Otras promociones viajan de boca en boca de los propios clientes, generando muy buena publicidad, y no por alguna conseción especial o adicional al momento de la venta, sino que más bien, tiene que ver con la aceptación de un buen producto o servicio, a un precio que se considera razonable, unido a una buena atención. Por el contrario, si uno de estos elementos empieza a fallar, sin duda se generará la no deseada publicidad negativa.

No se debe olvidar lo expresado al principio del libro, en cuanto a los productos o servicios que de alguna manera las personas estuvieran dispuestas a pagar por ellos, porque la publicidad puede ser efectiva hasta cierto punto. Un buen método de evaluación podría ser, el colocarse como comprador, para analizar cuán atractivo podría ser parte de una promoción, o que es lo que podría estar detrás de un producto o servicio que siempre o regularmente está en oferta.

El tema de las ventas posee muchos enfoques y técnicas que se pueden aplicar, dado la importancia que estas representan. Existe todo tipo de literatura al respecto en el mercado, cuya función principal es ofrecer conocimientos detallados y experiencias vividas, que puedan brindar el apoyo en la materia, por lo que no debe descartar la posibilidad de acceder a varios de ellos, dependiendo del tipo de estrategia en concreto para las ventas que se desee aplicar en un negocio en particular.

Acá en el libro se expondrán algunos enfoques relacionados con el proceso de ventas, lo que permitirá obtener algunas buenas ideas para generar o determinar las actividades necesarias que se deben realizar en el área.

Para empezar se debe tener un paso previo a la venta y es obtener los clientes, como ya dijimos en algunos casos, se puede lograr a través de un proceso publicitario de una promoción, sin embargo, también se pueden reforzar mediante el seguimiento de tres pasos sencillos, cuando lo que se requiere ofrecer es un servicio o producto con un contacto más personalizado (ventas cara a cara), tal y como ocurre con el sector de promotores de bienes raíces, seguros, entre otros.

Siembra: Que es la actividad de presentación ante una persona y ofertar el servicio o producto. La forma como se aborda el cliente y lo que se ofrece, es lo que determinará por parte del cliente, que compre o de que se quede simplemente con la información para una próxima oportunidad de venta.

Producción: Corresponde a la actividad de mantener un contacto permanente con el posible cliente, para reforzar el vínculo que permita una venta a futuro.

Recolección: Cuando se logra el objetivo de captar al cliente, la persona que se contacta. accede, y está interesado en el servicio o producto ofrecido, luego de realizar los pasos anteriores. También es posible, que lo recomiende a unos de sus familiares, o a un amigo cercano

Para realizar esta actividad, generalmente se requiere personal interno o externos, las cuales deben tener demarcadas en principio las zonas en las cuales pueden actuar (por estados, ciudades, urbanizaciones, etc.) y tener porcentajes determinados para cada actividad que realizan, con la finalidad de poder distribuir el valor agregado que aporta cada uno, una vez que se logre la venta.

Se verá a continuación, un paso a paso, desde un enfoque en el cuál, se debería tener en un proceso de ventas de un producto:

Observación: Es el primer paso en las ventas, en el cual se trata de clasificar el tipo de cliente que es.
Romper el hielo: Corresponde en la etapa que se aborda a cliente, se le hace un comentario y se ofrece ayuda.
Ofrecer el producto: En este paso ya obtuvimos la atención del cliente, puesto que nos compartió lo que necesita, es el momento de ofrecer el producto, dar sus características (calidad, precio, entre otras), para luego preguntarle qué le parece.
Proceso de Negociación: Es la etapa cuando se negocia un

precio definitivo (cuando aplique), y las condiciones de la venta (crédito, costo del envío, entre otros). En este punto es importante dar a conocer las bondades del producto y escuchar otras opiniones de los clientes.

Cierre: Es el procedimiento administrativo que se debe cumplir para cerrar el trato o la venta en este caso.

Otro enfoque importante es el que proviene de la atención al cliente, en el cual el personal de ventas debe cumplir con determinadas actitudes y requisitos al momento de atender a un cliente:

Conocer la ubicación de todos los productos de la tienda, de manera de poderlos guiar al área determinada y de forma oportuna.

Debe ser amable y cortés.

Debe mantener un contacto visual con el cliente, y demostrar interés en querer atenderlo.

Debe reflejar seguridad y dominio al momento de ofrecer los productos.

Debe conocer su precio.

Debe agradecer la visita e invitarla para venir en otra oportunidad, aunque no haya comprado nada.

La forma de vestirse en caso de que no haya uniformes, y *el aseo personal.*

Inculcar a cada empleado que el cliente es la persona más importante en ese momento, ya que tiene el poder para comprar.

También se debe estar pendiente del aspecto operativo en

cuanto a:

Tener suficiente personal y equipo operativo (cajas) para atender a los clientes de forma oportuna, sobre todo en las horas pico, cuando existe una mayor cantidad de clientes. *Mantener un inventario de productos o repuestos,* según sea el caso, sobre todo para el servicio de post venta y manejo de garantías.
Tener limpias todas las áreas de venta y en perfecto estado (luces, A/C, estanterías, etc.), en especial las áreas de servicios (baños).
Realizar acciones que permitan disminuir eventos no deseados, y pongan en peligro la seguridad de los empleados y clientes.

Otros autores consideran importante que el negocio debe enfocarse bajo una visión global de trabajo en equipo, por lo que se debe hacer énfasis en mejorar las condiciones físicas y mentales de los empleados, que ayudaría con las relaciones interpersonales y promover una serie de valores tales como honestidad, respeto, constancia, dedicación, entre otros, lo que van a producir lealtad de los clientes por el negocio o la marca en el mediano y largo plazo. También se considera importante cuando se ofrece un servicio, el mantener una buena relación con los clientes, ya que ayudan a mejorar el vínculo que tienen con el negocio.

Internamente, se puede tener el control sobre el trato de los vendedores y el lugar o espacio donde ocurre la venta, más no sobre los productos (a menos que sean producidos por una sola Empresa), o las necesidades de los clientes, tal y como veremos a continuación:

A medida que los productos sean de más fácil acceso en el mercado y no representen para el cliente algún esfuerzo adicional para obtenerlos o sustituirlos, como por ejemplo los productos de un automercado, no existirá ninguna necesidad por parte del cliente por adquirirlos en un lugar en particular, entonces la promoción por captar los clientes estará enfocada hacia el precio, atención al cliente, comodidad, acceso a la infraestructura, etc.

Pero para el caso contrario, a medida que los productos no están al alcance de los clientes con facilidad, o que no puedan ser sustituidos por otros productos, la necesidad de los clientes por adquirir el producto en el lugar donde se consiga aumenta, es decir, la promoción por atraer a los clientes con un mejor precio, la atención, la comodidad, o el acceso a la infraestructura van perdiendo fuerza.

Esta estrategia de venta es usada comúnmente en los automercados para su propio beneficio, donde los productos básicos que el consumidor requiere con mayor frecuencia, tales como el pan, los embutidos, la leche, están repartidos o localizados en cada extremo, para hacer que los clientes tengan que recorrer todo el automercado, aumentando así la posibilidad de vender algún otro producto que no se tenía pensado comprar en el momento.

De igual forma, con los productos que posean características especiales, o que se presten servicios que se distingan de otros similares, pues es el posicionamiento del producto o servicio en el mercado, y la buena publicidad (de boca en boca) lo que empieza a surgir, y en consecuencia, el cliente irá a un lugar específico para obtenerlo. Un buen ejemplo de esto son las franquicias, que ofrecen productos de reconocida trayectoria, unidos a una calidad de servicio, y una acertada campaña publicitaria, lo que los hace únicos en sus respectivos ramos.

Es por esta razón que las campañas publicitarias muchas veces se enfocan en crear una necesidad específica en la gente, para poder diferenciar un producto de otro, es decir, como por ejemplo, ya no es importante calmar la sed, sino que para calmar la sed se debe consumir un refresco en particular, un té de algún sabor, o un jugo de una marca específica; o para estar bien vestido, se debe tener una prenda de firma; o comerse un chocolate o un helado de una marca en particular es lo mejor y no hay nada igual.

Otras campañas publicitarias van más allá, en donde se utilizan las figuras de personajes famosos (cine, deportes, etc.) o modelos profesionales, donde se presentan situaciones que involucran emociones positivas, chistosas, alegres, sorpresas, etc., con la finalidad de que el consumidor genere una empatía con el producto de igual forma que con la persona que sale en el comercial o en un evento, de esta manera se generará una ventaja comparativa del producto al momento de comprar respecto a los de la competencia.

En otros casos, la publicidad se orienta hacia la identificación de los clientes con algún grupo específico, o con personas que poseen alguna condición especial, de manera tal, que los clientes sientan que hay una gran diferencia cuando se compra un producto que posea características similares en el mercado, porque van asociados a la ayuda de una causa como por ejemplo, cuando algunas empresas realizan alianzas y se comprometen a dar una cuota parte de las ventas a una organización sin fines de lucro.

Existe otra relación importante que se crea entre la necesidad del cliente, su poder adquisitivo, y el lugar al momento de la venta, que se intensifica más, cuando el cliente posee menos capacidad de compra, o tiene arraigada una cultura de ahorro, pues su comportamiento o patrón de consumo dependerá de los recursos disponibles en el momento, y por ende se dirige a lugares donde se tiene la expectativa de que solo existan productos que se encuentran dentro de su disponibilidad financiera, como por ejemplo, ir a mercados populares para adquirir los productos que necesita, en vez de ir a un centro comercial. Esto genera también que el grado de sustitución para satisfacer la necesidad de un producto por otro, sea inversamente proporcional a su poder adquisitivo, es decir, en algunos casos el cliente sacrifica calidad (subjetiva) por precio, como por ejemplo, comprar una cartera de plástico u otro material de baja calidad, en vez de una de cuero o de marca, o comprar granos y sardinas por ser más económicos, en vez de pollo y verduras (sin ánimos de desmejorar la capacidad nutritiva de cada uno de ellos).

Se analiza a continuación un enfoque en cuanto a las necesidades, la teoría propuesta por Abraham Maslow en su libro "A Theory of Human Motivation" 1.943, que sostiene que los seres humanos van desarrollando necesidades más complejas o elevadas a medida que satisfacen necesidades más sencillas.

Pirámide de Maslow

En el piso de la pirámide se encuentran las necesidades básicas tales como respiración, comida, descanso, relaciones sexuales; luego en un segundo nivel se encuentran las necesidades de seguridad, la cuales abarcan la salud, espacio (hogar), recursos económicos; más arriba se encuentran las necesidades de afecto, en las cuales se incluyen la amistad, el cariño, y el amor; para culminar con la autorrealización que corresponde a la moralidad, creatividad, espontaneidad, falta de prejuicios, aceptación de los hechos, y resolución de los problemas.

Si asociamos la satisfacción de necesidades a una línea de tiempo, se podrían diferenciar tres comportamientos generales de consumo (hipotéticamente hablando), por los cuales una persona puede o podría pasar a lo largo de su vida, de acuerdo a lo planteado con Maslow, dependiendo del nivel de necesidades satisfechas de cada quien:

Una primera etapa de vida donde se va a depender completamente del *ingreso y la voluntad de los padres o representantes.*

Luego se pasa a otra etapa diferente de necesidades, donde la persona se empieza a relacionar con el entorno, y el comportamiento de consumo cambia, es decir, el deseo *por comprar algo específico o "de marca" aumenta,* ya que empieza a ser importante seguir las reglas de la sociedad en cuanto a la forma de vestirse, alimentarse, sitios de reunión, compra de equipos electrónicos, o medios de transporte, entre otros. Esto ocurre en la etapa que Maslow denomina necesidades de afecto y reconocimiento.

Por último, en la etapa de autorrealización, donde los patrones de consumo por lo general vuelven a cambiar, y se corresponden más hacia un patrón de ahorro y compras selectivas, ya sea por menos cantidades adquiridas, compra de artículos que consideren aportan un valor agregado importante, o por la búsqueda de un menor precio.

Sin embargo, considero importante aclarar que en algunos casos, en la medida que exista un mayor nivel de ingresos, generará una mayor capacidad de consumo en el núcleo familiar, y por ende, las tres etapas acá sugeridas podrían resumirse a que todas las necesidades serían satisfechas mediante el esquema planteado en las necesidades de afecto y reconocimiento.

De igual manera, pero en caso contrario, cuando existan muy pocos ingresos en algunos casos, el comportamiento de consumo también se orienta hacia la segunda etapa, como un mecanismo de compensación frente a la no satisfacción de algunas necesidades básicas o de seguridad.

Podemos decir también, que según la función de distribución normal o gaussiana de Friedrich Gauss, cuando se representa una muestra de datos, ya sean fenómenos naturales: Caracteres morfológicos de individuos como la estatura o el peso, caracteres fisiológicos como el efecto de un fármaco, caracteres sociológicos como el consumo de un determinado producto por un mismo grupo de individuos, caracteres psicológicos como el cociente intelectual, el punto más alto de la muestra, lo genera la media o el promedio (cantidad de personas que cumplen con una misma característica), existiendo además datos o valores más altos y más bajos que el promedio, formando así una figura simétrica en forma de campana.

Esto quiere decir que a medida que de que el número de clientes aumente en la misma área, las posibilidades estadísticas de venta de productos también aumentan, ya que la muestra que llega a un lugar, es decir, la característica referente al patrón de consumo (la necesidad de los clientes por comprar, y su capacidad de endeudamiento) se empieza a diversificar, ocasionando que cada local adquiera una cuota parte del total de ventas, dependiendo de la calidad del producto similar que se ofrece y el precio.

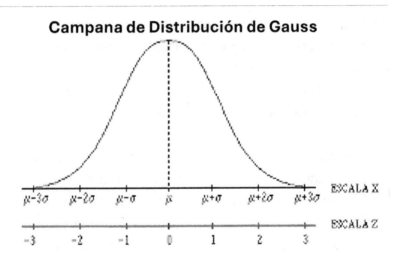

Sin embargo, cuando en el área existan gran cantidad de productos con la misma característica, los consumidores estarán en mejor posición de escoger un producto y negociar el mejor precio posible, disminuyendo así la ganancia del que oferta en el proceso de negociación.

De todo lo anteriormente descrito para las actividades en ventas, podemos resumir que siempre que exista una necesidad y alguien que la cubra, habrá ventas, pero debe haber la interrelación de una serie de eventos o factores que se suceden, entre el tipo de producto o servicio y el precio, el trato del vendedor, el lugar donde ocurren, y la necesidad real o inducida (publicidad), de manera tal que exista una conexión entre el cliente y los demás factores (producto o servicio, precio, lugar), es decir, que el yo quiero y tengo disponible (dinero y tiempo) por parte del que compra, debe estar unido al yo tengo y quiero venderlo por parte del que vende, generando un gran abanico de posibilidades cada vez que van cambiando los condiciones de las variables expuestas.

Las actividades entonces que se deben cumplir en este proceso corresponden a la promoción del local (si es el caso), promoción de los productos o servicios, entrenamiento del personal (cajas, ventas, y atención al cliente), así como de todas las actividades que permitan mantener los equipos operativos y la infraestructura por donde transitan los clientes en buen estado; para tratar de diferenciarse del resto, ya sea mediante la obtención de un producto que cumpla con esas condiciones, un trato especial al cliente, procedimientos administrativos oportunos (cajas), o una ubicación que brinde ventajas comparativas, como por ejemplo, fácil acceso, estacionamiento, seguridad, entre otros.

ADMINISTRACIÓN: Dado su complejidad y alcance, se requiere que estas actividades las realice una persona con un perfil adecuado, ya que precisa de conocimientos y experticia para ejercer esta función, porque se requiere que las cumpla de forma oportuna. Se debe mantener entonces un cronograma de actividades que permita el normal desenvolvimiento de laEmpresa y garanticen las siguientes actividades:

Debe haber seguimiento sobre el dinero entrante y saliente mediante controles en las ventas y el pago de las facturas. Esto quiere decir que para el caso de las ventas, el monto vendido debe ser igual al depositado. Para el caso de los pagos, debe existir un comprobante por cada pago realizado, usualmente para una mejor comprensión, hay formatos de pagos que se anexan a la factura pagada, donde se detalla toda la información, tales como el nombre del proveedor, el monto, el número de la factura, número de cheque cancelado, la cuenta utilizada, persona que lo recibe, entre otros.

Se debe evitar emitir cheques sin la debida disponibilidad.

Mantener todos los comprobantes en buen estado, en forma ordenada y archivados por fechas, pues en caso de ser requeridos para una verificación, estén a la mano de forma oportuna.

Estar pendiente del buen funcionamiento del local o espacio, ya sea que se requiera de un mantenimiento correctivo o preventivo, que exista una cantidad de empleados acorde con lo que se necesite, o estar al día con todos los pagos de servicios.

Atender a los proveedores (cuentas por pagar), *empleados* (desempeño), *y clientes* (cuentas por cobrar), y en todo lo que sea requerido, resolviendo cualquier diferencia y manteniendo una actitud cordial.

Manejar y controlar el inventario de mercancías y materias primas según sea el caso, aplicando procedimientos de control y seguimiento, que permitan evitar pérdidas, daños involuntarios de mercancías, y similares.

Estar al día con todo lo que se refiere a los impuestos y cualquier otra obligación parafiscal que se deban cumplir, para el caso venezolano (que es el caso que conozco).
De igual manera, del pago de los seguros.

Entregar la información contable de manera oportuna, a fin de poder obtener resultados del negocio, y cualquier otra actividad que el contador de la Empresa considere realizar.

Generar cuadros estadísticos y reportes que permitan ir evaluando la gestión del negocio

Se presenta a continuación un enfoque de cómo proceder con los ingresos y egresos de la Empresa desde el punto de vista administrativo y para el caso venezolano, ya sea que se realicen de forma propia, o a través de un empleado o un tercero.

Las ventas generan ingresos que a su vez debieran ir a una cuenta bancaria, de manera tal, que el monto total facturado debiera corresponder con el monto total de los depósitos. Sin embargo, lo que generalmente ocurre en los negocios propios o de familiares, es que se saca la plata de la caja para cubrir cualquier clase de necesidad personal o de la Empresa, trayendo como consecuencia el respectivo descuadre a nivel contable, y la pérdida del control del efectivo. Es por esa razón que la mayoría de los contadores aconsejan que se cree como un "sueldo" o remuneración mensual para evitar este tipo de situaciones.

No se debe caer en el ilícito fiscal de no facturar todo lo que se vende para pagar menos impuestos, porque trae como consecuencia unos balances menos favorables a la hora de solicitar un préstamo, por el bajo volumen de ventas declarados y en consecuencia la respectiva pérdida del ejercicio fiscal reflejada en los Estados Financieros de la Empresa. Esto sin mencionar la multa o cualquier otra acción penal que decidiera ejercer el SENIAT en contra de los responsables, en concordancia con la gravedad de la falta o la reincidencia.

De igual manera, todos los egresos reflejados en el estado de cuenta del banco deben tener sus respectivos soportes o facturas, según sea el caso, de manera tal, que el total de egresos del estado de cuenta debe coincidir con el total de los soportes entregados a contabilidad. Tampoco se debe sacar de la caja para pagarlas, sin el respectivo acuse de salida, porque se generan descuadres a nivel contable, por falta del respectivo soporte.

Para un mejor control, las facturas a crédito, ya sean de compras o ventas, se deben manejar bajo un procedimiento especial, es decir, mediante el envío de fotocopias como soporte contable, por el desfase que existe entre el momento de la compra o la venta, y el respectivo impuesto de IVA o ISLR que se genera con el pago.

Sin embargo, al final cada contador posee su criterio

personal de cómo realizar las cosas, y es la persona más idónea para indicar cómo requiere que todos los soportes deben ser entregados, pero se debe tener presente que mientras más ordenados estén, más barato cobrarán, así que es una buena idea hacer un esfuerzo al respecto.

EVALUACIÓN Y CONTROL. Como su nombre lo indica, son todas las actividades cuya función principal es recabar la información necesaria (estadística y financiera) para poder analizar y medir el status de la Empresa en su conjunto, o alguna área en específico, en un período determinado (mensual, trimestral, anual). Es mediante este proceso que se pueden detectar desviaciones de todas las actividades que se realizan en la Empresa respecto a un presupuesto elaborado al principio de cada período

Este procedimiento debe ser realizado por la persona encargada de llevar la administración del negocio, o en su defecto, por el dueño o el contador. La única manera de poder evaluar las estadísticas es generarlas, que se pueden hacer de forma manual o mediante la aplicación o uso de un sistema.

Pero dado que son las personas las que realizan todas las actividades, las estadísticas que se generen, deben estar acorde con el desempeño esperado, el cumplimiento de logros y metas, y en consecuencia, cada persona debe ser responsable del valor agregado que aporta, tanto en el área donde se trabaja, como en cualquier área de la Empresa. De ahí la importancia de celebrar reuniones de grupos para poder evaluar y discutir los resultados obtenidos de forma periódica por todo el personal involucrado. Acá es importante acotar, que no importa el número de personas que se encuentren involucradas en la actividad, se debe realizar el procedimiento de evaluación, pues es la única manera de poder obtener una retroalimentación o feedback de lo que se hace, a manera de poder aplicar los correctivos en caso de ser necesario. No se puede caer en el error expresado al principio del capítulo, donde se asume que por ser dueños, o la única persona que realiza la actividad, no es importante realizar el respectivo proceso de control.

Pero todas las actividades de la Empresa que se realizan en cada proceso, no se encuentran de forma aislada, como se ha venido planteando, sino que son eslabones de una gran cadena, en donde el producto final de un departamento puede ser el insumo de otro para generar otro producto adicional, es por eso que para que toda esa cadena de eventos funcione de forma organizada, requiere que cada una de las actividades estén bien definidas. Más adelante, en otro capítulo se explicará cómo deben estar relacionadas unas con otras, por lo pronto las actividades de evaluación y control, como ya se dijo, corresponden a las diferentes estadísticas que se puedan generar en cada área.

Deben existir procedimientos especiales de control para el personal en entrenamiento, que son los más vulnerables o susceptibles a realizar actividades de forma equivocada. Se presentan a continuación algunos controles que a mi juicio deben realizarse, dependiendo del área donde se ejecuten las actividades.

El primer punto corresponde a los ingresos que vienen representados por las ventas, así que es importante verificar que tanto el jefe como el empleado tengan claras las metas a ser cumplidas en un período determinado (mes, trimestre, año) respecto a la captación de clientes, cantidad de productos o servicios vendidos, manejo de la mercancía, asignación de áreas de venta, y cualquier otra métrica que sirva para su evaluación, dependiendo del tipo de negocio que se emprenda. De igual manera, implementar y hacer cumplir los procedimientos para el manejo, y el cuadre de caja.

Por otro lado, podemos decir que un procedimiento sencillo de control en las ventas, establece que lo que pide el cliente es lo que se entrega, y a la vez, lo que se le debe cobrar. Sin embargo, si se analiza de una forma más detallada, podrían estar ocurriendo fallas en alguna actividad específica, rompiéndose así, el debido control que debe existir.

Pongamos el ejemplo de un restaurante, el mesonero debe escribir (de forma manual) la comanda de la orden del cliente con una copia del pedido, uno va para caja para que sea reflejado en la cuenta, y la otra para el bar o la cocina, según sea el caso. Pero, si no se hace un cruce entre las dos comandas, es decir, la original y la copia, ya que van a lugares diferentes, ¿Quién controla el negocio, el dueño o el mesonero? ¿Cómo se garantiza que lo que come el cliente es lo que paga?

El segundo punto corresponde al proceso de producción en el cual se deben llevar estadísticas en lo que respecta a la cantidad de productos generados, manejo de desperdicios de la materia prima o insumos, entre otros. De igual forma, corresponde al manejo de inventarios tanto de materia prima como de productos en proceso, y productos terminados. El tercero corresponde a la promoción y mercadeo / atención al cliente, originado principalmente por los cambios tecnológicos que constantemente invaden el mercado, y haciendo que la promoción y la publicidad de cada negocio se vuelva cada vez más interactiva y multidireccional.

El cliente por ejemplo, ahora posee las herramientas necesarias y de fácil acceso para hacer pública su opinión a gran escala, hacer valer lo que considera sus derechos en cuanto a la calidad de un producto, condiciones ofrecidas, precio, entre otros, o de igual forma contribuir de manera directa mediante la promoción de la aprobación o desaprobación de un producto adquirido, por lo que se debe evaluar toda la información proveniente del área, de esta manera se obtiene el feedback o la retroalimentación directa de los consumidores, orientado sobre sus necesidades en tiempo real, o alertando de cualquier situación que requiera ser atendida de forma oportuna.

Dado que internet es una poderosa herramienta de difusión, creada con protocolos para acceder desde un punto a otro por diferentes vías, se debería tener especial cuidado en cuanto a la fuga de información de los empleados, clientes, o cualquier otro tipo de información valiosa para la Empresa.

De igual manera, se podría acceder a información con los perfiles adecuados en principio, a los clientes que estarían interesados en los productos o servicios, y que estuviéramos dispuestos a ofrecer, para enviarles algún tipo de propaganda electrónica. Existen Empresas especializadas en esta materia, que pueden aportar algún conocimiento o apoyo en caso de ser requerido.

Es importante también evaluar las promociones lanzadas (pre / post), es decir, tanto al principio, en qué es lo que se espera obtener de la promoción, y al final, lo que realmente ocurre, reflejando los resultados financieros y estadísticos.

Por último, el proceso administrativo donde los esfuerzos deben estar orientados hacia el mejoramiento de cada uno de los procesos anteriores, así como los propios del área, tales como manejo de la cartera de cobranzas y pagos, manejo de la nómina, etc.

Lo que se recomienda en estos casos, para tener una visión general, es que vayan y conozcan otros negocios similares a los que se desean montar, es decir, observen el cómo realizan las actividades en el negocio, si el cliente pide la mercancía y paga luego, si paga primero y luego retira la mercancía, si hay un procedimiento uso de tarjetas para cargar en una cuenta temporal para luego cobrar, cómo se maneja el flujo de efectivo, si cada cierto tiempo se va retirando el efectivo de las cajas, si hay puntos de control de revisión como en los automercados a la salida, etc.

Al final, cada quien sabe el porqué de cómo hacer las cosas de una manera diferente, estos negocios ya pasaron por algunas "malas experiencias", por lo que seguramente debieron corregirse. Es de sabios aprender de los errores de los demás. Dado que la información financiera que debe generarse en una Empresa, posee un peso importante a la hora de ser evaluada, se consideró prudente el plantearlo como un capítulo adicional denominado pisando Tierra.

Pisando Tierra

"Si buscas resultados diferentes,
No hagas siempre lo mismo."

Albert Einstein.

En la etapa anterior, se enunciaron ciertos planteamientos para poder visualizar, de manera objetiva, la idea o proyecto que se intenta emprender mediante el desarrollo de actividades que se deben realizar. Este proceso se denomina pisando tierra, porque pasamos de la visualización de algunas situaciones, a conocer y manejar el impacto o resultado que todas esas actividades generan, produciendo la información financiera que se requiere, y que se usará a lo largo del tiempo.

Se debe tener claro que la idea principal, en este momento, es que se pueda captar de forma sencilla, los movimientos contables que ocurren cuando se realizan actividades dentro de una Empresa, y cómo quedan registrados en los Estados Financieros. De todas formas, son los contadores y comisarios de las Empresas, los que se encuentran en plena capacidad de analizar de forma detallada dichos estados financieros, y de estar en la obligación de alertar en caso de detectar una anomalía o desviación considerable. Por esta razón, es importante entender y manejar algunos conceptos contables que nos permitan saber lo que representan, de manera de poder validar las cifras cuando el contador nos presente la referida información.

Existen tres estados financieros básicos (Balance General, Estado de Ganancias y Pérdidas, Flujo de Caja) que son preparados por los Contadores, y también utilizados por los analistas financieros (bancos) para poder determinar cuan solvente se encuentra la Empresa. El Balance General representa saldos acumulados de cada cuenta, como si tomáramos una fotografía en una fecha fija. Este estado financiero nos permite identificar si la Empresa requiere de recursos para seguir funcionando o no, ya que guarda una relación entre los recursos que posee y lo que debe pagar. Está dividido en tres bloques principales que son:

Los Activos: Conformado por el dinero en efectivo, cuentas por cobrar, los bienes, y cualquier otro pago anticipado o no, que represente alguna acreencia para la Empresa, y están organizados dependiendo del grado de liquidez que representan, empezando con los más líquidos. Se dividen en Activos Circulantes, Activos Fijos, Prepagados, Intangibles, y Otros Activos. Dentro de los Activos Circulantes se encuentran la cuenta de Caja y Bancos, las Cuentas por Cobrar, ya sea de clientes, empleados, o socios, y los inventarios en Materia Prima o Mercancías, según sea el caso. Luego están los Activos Fijos, representados por las Propiedades, Maquinaria, y Equipos.

Más abajo se encuentran los Prepagados, que corresponden a los pagos anticipados que le dan alguna acreencia a la Empresa, como es el caso de los seguros, impuestos (créditos fiscales), entre otros. Los Intangibles son los pagos anticipados que le generan a la Empresa algunos derechos tales como la adquisición de Franquicias. Por último. Otros Activos que corresponden a los bienes registrados por la Empresa, que no están relacionados con su operación, tales como joyas, obra de arte, y similares.

Los Activos Fijos deben depreciarse a excepción de los Terrenos, cada uno de ellos posee un período en el cual son aptos para su uso, y a medida que pasa el tiempo, cada activo va generando entonces un valor o saldo neto según su uso o vida útil que le quede, es decir, se debe tomar el valor inicial y luego restarle su depreciación acumulada para conocer el saldo contable o según libros de cada uno de ellos.

De igual forma, deben ajustarse los valores de los Activos Intangibles y los Prepagados mediante una amortización acumulada, porque ese beneficio o derecho, según sea el caso, es por un período determinado, generando también saldos netos en las cuentas respectivas.

La depreciación y la amortización de activos se generan en el Estado de Ganancias y Pérdidas de manera mensual, pero se acumulan en el Balance General de cada cuenta. El método más utilizado para el cálculo de la depreciación es el de línea recta, el cual consiste en dividir el monto entre el número de períodos de su vida útil (meses, años), mientras que para la amortización se habla de períodos anuales, a excepción de las franquicias que pueden ser períodos de varios años.

Los Pasivos: Representan las deudas de la Empresa que mantienen con terceros, ya sea con Bancos, Proveedores, Empleados (apartados de vacaciones, prestaciones, etc.), o asociados. Se dividen en deudas o Cuentas por Pagar a corto y largo plazo, dependiendo del monto y el tiempo para pagar. Existen algunas cuentas o apartados que se generan mensualmente en el Estado de Ganancias y Pérdidas, con la finalidad de cumplir con un pago importante a futuro, tales como las prestaciones sociales de empleados, vacaciones, impuestos, entre otros, pero que se generan saldos acumulados en las cuentas del Balance General.

El Capital: Representa la Inversión inicial de los socios, y está conformado por el Capital Social Suscrito, que está representado por un número determinado de acciones con un valor nominal (precio). El Capital Suscrito se discrimina en Capital Pagado, correspondiente a las acciones emitidas y respaldadas con los aportes de cada socio, y el Capital No Pagado, con las acciones emitidas y no pagadas o respaldadas por los socios. Dentro de las cuentas de Capital, debe relacionarse los saldos acumulados en el Estado de Ganancias y Pérdidas, como el valor adicional de la operación del negocio. También se le hacen ajustes a dichos saldos, tales como los pagos de dividendos a Accionistas, entre otros.

El Estado de Ganancias y Pérdidas abarca todas las actividades que realiza la Empresa dentro de un período determinado (mensual, trimestral, anual). Representa una gestión o saldo, y se asemeja a una filmación de una película, donde se reflejan las actividades que se realizan en el período determinado. Lo conforman todas las cuentas que generan ingresos (ventas), egresos (costos, gastos en operaciones, gastos en ventas, gastos administrativos, pago de impuestos). Los costos de reposición de activo e intangibles (depreciación, amortización). También existen las cuentas de Otros Ingresos y Egresos correspondientes a actividades no relacionadas con la Empresa, tales como venta de Activos, ingreso por intereses (cuando la empresa no es del sector financiero), gastos no sujetos, entre otros.

El Flujo de Caja es una poderosa herramienta de análisis del Balance General y el Estado de Ganancias y Pérdidas, ya que nos permite evaluar cómo la generación de la ganancia o pérdida neta se refleja en algunas variaciones de las cuentas del Balance General. Este procedimiento se asemeja a la conciliación bancaria, en donde todos los movimientos de ingresos y egresos registrados en la chequera (representado en las cuentas del Estado de Ganancias y Pérdidas), debe ser igual a la variación que registra el estado de cuenta bancario entre su saldo final e inicial (representado en la variación de las cuentas del Balance General).

También lo podemos utilizar para determinar cuál sería el monto requerido para emprender un negocio, como veremos más adelante, pero como ya se dijo al principio, la idea de esto es conocer de forma sencilla cómo están estructurados, y la función de cada uno de ellos, no para que estén en capacidad de prepararlos o manejarlos.

Hasta ahora se ha hecho referencia a las herramientas financieras disponibles, que permiten evaluar a una Empresa que se encuentra operativa, es el momento de evitar el camino de las palabras y exponer los siguientes ejemplos, para una mejor comprensión de lo que se está tratando de explicar respecto a la formación de los Estados Financieros, en caso de que no haya quedado clara la exposición anterior.

Para efecto de los ejemplos, se considera que los valores monetarios utilizados son de referencia y no representan un valor real de mercado, lo mismo ocurre con la situación planteada, ya que parte de un escenario hipotéticamente sencillo, para que de forma didáctica se pueda observar en este momento la variación de los saldos en las cuentas entre el Estado de Ganancias y Pérdidas y el Balance General, cada vez que se realiza una actividad.

Vamos a suponer que el negocio que se desea montar es de hacer tortas, para poder distribuirlas en un pequeño punto de venta al detal. Para efectos prácticos del ejemplo, se asume que se tienen presentes todas las recomendaciones iniciales, inclusive, lo concerniente al recurso económico, por lo que sería un proyecto, como se refleja a continuación:

Inicialmente, luego de estudiar la zona en cuanto al número de personas que pasan, los productos que se venden, y haber logrado los recursos necesarios, se toma la decisión de iniciar el negocio. Se crea una Empresa denominada "Mi Torta Favorita C.A.", con un capital inicial de 10.000,00 aportados por dos socios. Su función u objeto principal es de hacer tortas para la venta, por lo que estaría dentro del grupo de las Empresas Artesanales. Uno se ocupa de la venta, atender a los clientes, y toda la función administrativa, mientras que el otro se encarga de hacer tortas, llevarlas, y comprar todos los ingredientes. Un familiar de uno de ellos, les regala un mueble, con la ayuda de un amigo carpintero, lo transforma en una hermosa carreta sin cobrarles. Las tortas las realizan en una casa de los socios.

Este es el flujo de actividades que se generarían del negocio:

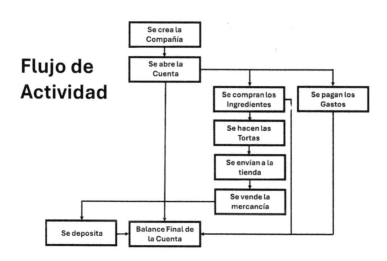

Como primer punto (01) se crea la Empresa con los 10.000,00. Mediante la emisión de acciones, (02) se apertura la cuenta con ese mismo monto, a partir de ese momento se crea un ciclo en donde, (03) se compra la materia prima para hacer 07 tortas 1.000,00, (04) se realiza el producto y se gastan todos los ingredientes 1.000,00, (05) se lleva para la venta con un costo de 40,00, (06) se venden las 07 tortas por 4.500,00, y se deposita la misma cantidad, se debe registrar además como costo de ventas, los materiales utilizados 1,000.00. Luego, al final del mes, se pagan todos los gastos propios (07), 2.000,00, generando al final del mes (08) el saldo neto de 11.460,00. A continuación, el flujo de efectivo:

Así quedaría estructurado al final del mes el Balance General y el Estado de Ganancias y Pérdidas de Mi Torta Favorita C.A.

Balance General			Ganancias y Pérdidas	
Mi Torta Favorita, C.A.			Mi Torta Favorita, C.A.	
En Unidades Monetarias			En Unidades Monetarias	

Activos		Ingresos	
Activo Circulante		Ventas	4,500.00
Caja & Bancos	11,460.00	Costo de Ventas	1,000.00
Inventario	0.00	**Margen en Operaciones**	**3,500.00**
Total Activo Circulante	11,460.00		
Total Activos	**11,460.00**	**Gastos**	
		Gastos Operativos	40.00
Total Pasivo	**0.00**	Gastos Administrativos	2,000.00
		Total Gastos	**2,040.00**
Capital			
Capital Social	10,000.00	Depreciación	0.00
Ganancia Acumulada	1,460.00	Amortización	0.00
Total Capital	**11,460.00**	**Total Depreciación / Amortización**	**0.00**
Total Pasivo / Capital	**11,460.00**	**Ganancia Neta**	**1,460.00**
		Ganancia Acumulada	1,460.00

Primero analicemos qué pasó en el período: Inicialmente, se registran el aporte en efectivo (10.000,00) y lo que representa en acciones (Capital Social), luego se comienza la operación registrando las actividades en el Estado de Ganancias y Pérdidas: Ingresan 4.500,00 por la venta de 07 tortas, el costo de hacer las tortas fue de 1.000,00, luego se hizo necesario pagar el traslado desde la casa al punto de ventas, con un costo de 40,00, y para finalizar se debió pagar los gastos en 2.000,00. Al sumar los ingresos y restar todos los costos y gastos nos da una ganancia de 1.460,00.

También se observa que la cuenta de Inventario posee un saldo final de 0,00, (Balance General), aún y cuando se compraron los ingredientes, esto ocurre porque al hacer las tortas y utilizar todos los ingredientes por completo, ya no quedan ingredientes, solo tortas para vender, entonces al momento de registrar la venta, también debe registrarse lo que costó hacerlas (el uso de los ingredientes), por lo que se ajustan las cuentas a nivel contable, es decir, traspasando el valor del inventario inicial al costo de ventas.

De igual manera, se refleja que el saldo de la Ganancia o Pérdida Neta Acumulada para los dos estados financieros se mantiene constante, pues corresponden al mismo período inicial de operaciones (1 mes).

Flujo de Caja
Mi Torta Favorita, C.A.
En Unidades Monetarias

Ganancia Acumulada			1,460.00
Total Depreciación / Amortización			0.00
Total Flujo de Caja			1,460.00

Variaciones	Inicial	Final	B / (W)
Caja & Bancos	10,000.00	11,460.00	1,460.00
Total Variaciones	10,000.00	11,460.00	1,460.00

Para este caso en particular, la cuenta de Caja y Bancos es la que absorbe todas las variaciones que se generaron en el Estado de Ganancias y Pérdidas 1.460,00, ya que pasa de 10.000,00 a 11.460,00 como saldo final. Todas las operaciones realizadas, tuvieron como medio de pago el efectivo.

A continuación otro ejemplo de un negocio de relojes de marca, en el cual uno de los socios posee un local heredado en un Centro Comercial, mientras que el otro, posee un contrato de exclusividad para la distribución de unos relojes chinos. En este caso corresponde a las Empresas del Sector

Comercial.

Se crea la Empresa Watsu C.A., cuyo objeto es la comercialización de relojes en el área metropolitana de Caracas. El Capital es de 3.000.000,00 completamente pagado por los socios mediante el aporte de bienes y efectivo, uno de ellos aporta un local valorado en 1.400.000,00, más 100.000,00 en efectivo, mientras que el otro aporta la franquicia valorada en Bs. 120.000,00 por un período de 03 años, la mercancía de la franquicia valorada en 1.300.000,00, más 80.000,00 en efectivo. Los dos se encargan de atender los clientes que llegan al local, mientras que cuando hay poco movimiento se turnan, uno se ocupa de captar clientes corporativos, mientras que el otro se encarga de las labores administrativas. A continuación se muestra el flujo de actividades que realiza este tipo de Empresa de acuerdo con las premisas planteadas.

Para este caso se crea la Empresa (01) con un Capital Social de 3.000.000,00 mediante cuatro tipos de aportes: Se abre la cuenta con los dos aportes de cada socio (02, 03) (En Efectivo): 100,000.00 y 80,000.00. Se registra el Inventario en mercancía (03) de uno de los socios 1,300,000.00, y la Franquicia (Intangible) por 03 años de 120,000.00. Se registra el aporte del otro socio de un local comercial (Activo Fijo) (02) 1,400,000.00. Se inicia operaciones y se logran vender 350 relojes (04) en 500,000.00, de los cuales hay que restar el costo de ventas 350,000,00. Se depositan las ventas (05) 500,000.00, Al final de mes, se pagan los gastos (06) 75,000.00, y se registra la Depreciación del Local Comercial (07) 70,000.00, así como la Amortización de la Franquicia (08) 40,000.00. Queda como resultado financiero de la operación (09) 605,000.00. Se expone el cuadro del Flujo de Efectivo.

De igual manera como se presentó en el ejemplo anterior, a continuación los Estados Financieros de la Empresa.

Balance General
Watsu, C.A.
En Unidades Monetarias

Activos		
Activo Circulante		
Caja & Bancos	605,000.00	
Inventario	950,000.00	
Total Activo Circulante	1,555,000.00	
Activos Fijos	1,400,000.00	
Depreciación Acumulada	70,000.00	
Activos Fijos Netos	1,330,000.00	
Intangible	120,000.00	
Amortización Acumulada	40,000.00	
Intangibles Neto	80,000.00	
Total Activos	**2,965,000.00**	
Capital		
Capital Social	3,000,000.00	
Pérdida Acumulada	-35,000.00	
Total Capital	**2,965,000.00**	

Ganancias y Pérdidas
Watsu, C.A.
En Unidades Monetarias

Ingresos	
Ventas	500,000.00
Costo de Ventas	350,000.00
Margen en Operaciones	**150,000.00**
Gastos	
Gastos Adminostrativos	75,000.00
Total Gastos	**75,000.00**
Depreciación	70,000.00
Amortización	40,000.00
Total Depreciación / Amortización	**110,000.00**
Pérdida Neta	**-35,000.00**
Pérdida Acumulada	**-35,000.00**

Repitiendo el ejemplo anterior, se debe registrar primero los aportes de los socios en el Balance General, que para este ejemplo serían el local (Activo Fijo) por un monto de 1,400,000.00, la Franquicia (Intangibles) por un monto de 120,000.00, los relojes (Inventario) 1,300,00.00, y el efectivo (Caja y Bancos) por 180,000.00 para un total de 3,000,000.00 representados a su vez mediante el Capital Social.

El Estado de Ganancias y Pérdidas de la Empresa Watsu C.A., refleja que al sumar los ingresos y restar sus egresos obtienen una pérdida de 35.000,00, para un primer año de operaciones. Esto ocurre luego de contabilizar las partidas que generan la Depreciación de los Activos y la Amortización de los Intangibles por un total de 110,000.00.

Se analiza entonces el Flujo de Caja, es decir, el resultado del Estado de Ganancias y Pérdidas contra las variaciones de las cuentas del Balance General. Como primer punto se debe eliminar el efecto de la Depreciación y la Amortización, puesto que son asientos contables de ajuste y no representan entradas o salidas de dinero reales. Para anular el efecto, se debe sumar dicho valor en el Estado de Ganancias y Pérdidas, que para este caso es de 110.000,00, quedando entonces un saldo positivo de 75.000,00. Este sería el valor real, que afectaría realmente a las cuentas del Balance General. A continuación, El Flujo de Caja de la Empresa.

Flujo de Caja
Watsu, C.A.
En Unidades Monetarias

Pérdida Acumulada	-35,000.00
Total Depreciación / Amortización	110,000.00
Total Flujo de Caja	**75,000.00**

Variaciones	Inicial	Final	B/(W)
Caja & Bancos	180,000.00	605,000.00	425,000.00
Inventario	1,300,000.00	950,000.00	-350,000.00
Total Variaciones	**1,480,000.00**	**1,555,000.00**	**75,000.00**

Como vemos en el cuadro y para hacer referencia a este ejemplo, se restan los valores finales de las cuentas del Balance General con el valor inicial de cada una, y se detecta que fueron dos cuentas las que variaron, la primera corresponde a la de la Caja y Bancos con una variación positiva de 425.000,00 producto de las ventas 500.000,00, menos los gastos pagados 75.000,00; mientras que la cuenta de Inventario refleja una variación negativa de 350.000,00 correspondientes al ajuste del Costo de Ventas. El saldo neto de las dos variaciones se corresponde con el valor reflejado en el Estado de Ganancias y Pérdidas, luego de quitarle el efecto de la Depreciación y Amortización (75.000,00).

¿Crees que el ejercicio está malo? ¿Cómo puede haber una pérdida cuando hay 605,000.00 en una cuenta bancaria? Debes analizar un poco más profundo... Primero que nada recuerda que los dos socios tienen invertidos en el negocio 3,000,000.00. Cada Estado Financiero representa algo diferente, y lo que refleja el Estado de Ganancias y Pérdidas en este caso, es que el nivel en las Ventas de la Empresa, no pudo cubrir la cuota parte invertida en Activos (2,820,000.00) en ese período. Esto significa que existe un pequeño proceso de descapitalización que puede ser subsanado con un mayor volumen en ventas más adelante.

El último ejemplo se corresponde con una Empresa de Servicios Profesionales de Odontología, del Sector de Libre Ejercicio Profesional. Dos compañeros de grado deciden montar un Consultorio Odontológico, para lo cual alquilan un local para tal fin. Como están comenzando, uno toma el turno de la mañana, mientras que el otro el turno de la tarde para el uso del Consultorio. Para poder acceder a todos los insumos, implementos, y mobiliario necesario para prestar el servicio, recurren a un préstamo bancario 500,000.00, el cual se comprometen a pagar en tres años a una tasa preferencial del 20 % anual, cada uno aporta 10,000.00 en efectivo. Este sería su flujo de Actividades:

Flujo de Actividades

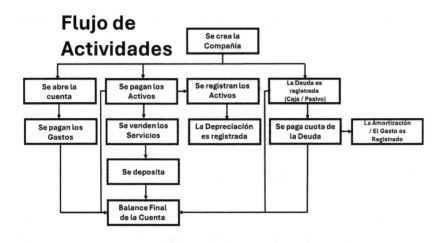

Como primera actividad se registra la Compañía (01) con un Capital de 20,000.00, y se abre una cuenta (02) con el mismo monto. Se solicita el préstamo (03) por 500,000.00, y se compran el mobiliario, los equipos, y los insumos necesarios para iniciar la operación (04) por 470,000.00 y 30,000.00 respectivamente. Se inician las operaciones generando Ventas (05) por 500,000.00, y el respectivo consumo de insumos por 15,000.00. Se deposita la venta (06) por 500,000.00, se pagan los Gastos (07) por 200,000.00. Se paga la primera cuota del préstamo (08) 288,000.00. Se hace el ajuste en la Depreciación por el Mobiliario y Equipo (09) por 75,000.00, de igual forma a reducción de la deuda (10) 188,000.00, mas el pago de intereses (11) 100,000.00. Esto nos da un balance en la cuenta de Caja y Bancos (12) de 32,000.00. A continuación el cuadro con el Flujo de Efectivo de la Empresa.

Flujo de Efectivo

(01) 20,000.00

(02) 20,000.00

(04) - 470,000.00
(04) - 30,000.00

(04) 470,000.00
(04) 30,000.00

(03) 500,00.00

(07) - 200,000.00

(05) 500,000.00
(05) -15,000.00

(09) - 75,000.00

(08) - 288,000.00

(10) - 188,000.00
(11) - 100,000.00

(06) 500,000.00

(12) 32,000.00

Balance Inicial	+20,000.00
Otorgamiento de Préstamo	+500,000.00
Compra de Activos	-470,000.00
Compra de Suministros	-30,000.00
Ventas en Servicios	+500,000.00
Pago parcial Deuda	-288,000.00
Pago de Gastos	-200,000.00
Balance Final	+32,000.00

Para una mejor comprensión, se anexa el cuadro de la Deuda asumida, con los compromisos de pagos asumidos.

Tabla Amortización Préstamo
Consultorio Odontológico, C.A.
En Unidades Monetarias

	Deuda	Intereses	Pago	Saldo
Año 01	500,000.00	100,000.00	288,000.00	312,000.00
Año 02	312,000.00	120,000.00	288,000.00	144,000.00
Año 03	144,000.00	144,000.00	288,000.00	0.00
Totales		364,000.00	864,000.00	

Se presentan continuación los Estados Financieros de la referida Empresa. Como se puede observar, se registran los saldos en la cuenta de Capital, las variaciones en Caja y Bancos, el aumento en los Activos Fijos, la disminución de los Insumos y la Deuda, así como el ajuste por Depreciación. De igual forma se registran en el Estado de Ganancias y Pérdidas las Ventas, el Costo de dichas Ventas, Los Gastos Administrativos y de Intereses, y la Depreciación, dado como resultado una Ganancia del período de 110,000.

Balance General
Consultorio Odontológico, C.A.
En Unidades Monetarias

Activos		
Activo Circulante		
Caja & Bancos	32,000.00	
Inventario	15,000.00	
Total Activo Circulante	47,000.00	
Activos Fijos	470,000.00	
Depreciación Acumulada	75,000.00	
Activos Fijos Netos	395,000.00	
Total Activos	**442,000.00**	
Pasivos	**312,000.00**	
Capital		
Capital Social	20,000.00	
Ganancia Acumulada	110,000.00	
Total Capital	**130,000.00**	
Total Pasivo / Capital	**442,000.00**	

Ganancias y Pérdidas
Consultorio Odontológico, C.A.
En Unidades Monetarias

Ingresos	
Ventas	500,000.00
Costo de Ventas	15,000.00
Margen en Operaciones	**485,000.00**
Gastos	
Gastos Adminostrativos	200,000.00
Gastos en Intereses por Deuda	100,000.00
Total Gastos	**300,000.00**
Depreciación	75,000.00
Amortización	0.00
Total Depreciación / Amortización	**75,000.00**
Ganancia Neta	**110,000.00**
Ganancia Acumulada	**110,000.00**

Al restar el efecto de la Depreciación, obtenemos una variación del efectivo de 185,000.00, que se corresponde con las variaciones experimentadas en las cuentas del Balance General: Un aumento en la cuenta de Caja y Bancos por 12,000.00, una disminución en Inventario de Insumos por 15.000, y una disminución de la Deuda de 188,000.00. A continuación, el Flujo de Caja de la Empresa.

Ganancia Acumulada	110,000.00
Total Depreciación / Amortización	75,000.00
Total Flujo de Caja	**185,000.00**

Variaciones	Initial	Final	B / (W)
Caja & Bancos	20,000.00	32,000.00	12,000.00
Inventario	30,000.00	15,000.00	-15,000.00
Deuda	500,000.00	312,000.00	188,000.00
Total Variaciones	**550,000.00**	**359,000.00**	**185,000.00**

Calculando el Precio.

Una vez determinadas las actividades necesarias para mantener el negocio (Desarrollando Ideas), y poder manejar algunos conceptos contables (Pisando Tierra), corresponde el momento de conocer el procedimiento para calcular el precio de los productos o servicios a ser ofrecidos en el mercado, lo que va a determinar la ganancia. Se definen a continuación algunos conceptos que se deben tener claros a la hora de calcular el precio de un producto o servicio.

Los factores que determinan los precios son el costo fijo, el costo variable, y el margen de ganancias, es decir, que las cantidades de mercancías o servicios ofrecidos, multiplicado por su precio, deben estar por encima de la suma de todos sus costos (incluyendo la depreciación y la amortización). El costo fijo se define como aquel costo que no importa las cantidades de mercancía que se venda, siempre se va a mantener relativamente estable, como por ejemplo el alquiler de un local, los servicios que se generan, el pago de la nómina, honorarios, etc., mientras que los costos variables son aquellos que sí guardan relación directa con el proceso de producción, ya sea para un producto o servicio, tales como materia prima, insumos, entre otros; es decir, en la medida que se produzca más, más elevado será el costo variable y en la misma proporción.

Para empezar, el precio a calcular necesariamente debe estar dentro de dos rangos, el primero de ellos es el menor posible, y se denomina precio de punto de equilibrio. Se debe conocer por razones estratégicas (para no perder un cliente), en caso de que se deba asumir un escenario de fuerte competencia, porque nos permite conocer el precio por el cual se pueden vender los productos para no ganar o perder. El otro precio es el máximo posible, que se denomina el precio techo, y es aquel que ofrece la competencia con productos iguales, similares, o sustitutos, que se encuentren cerca del negocio. Se considera también estratégico, pues colocar productos por encima de los precios de la competencia podría ocasionar una disminución parcial o total de las ventas, en caso de que no se posea una ventaja comparativa frente a los demás competidores.

Otro enfoque importante de conocer es la cantidad de veces que se vende un producto en un período determinado (rotación del inventario), ya que a mayor rotación, menor será el margen a ser aplicado en la obtención del precio, ejemplo de esto, podemos nombrar los automercados y las tiendas por departamentos. También podemos derivar que a mayor cantidad de productos vendidos, menor será el precio de punto de equilibrio, tal y como ocurre en los negocios mayoristas. Este tipo de Empresas, generalmente al competir en precio, tratan de vender la mayor cantidad de productos posibles, para obtener así ventajas comparativas respecto a los demás competidores.

También se puede tomar en consideración el momento de colocar el precio de un producto, la no existencia de productos o servicios sustitutos para ofrecer en un mercado local, lo que puede permitir un margen de ganancia mayor, pero no se puede entrar dentro del área de la especulación, porque las personas interesadas poseen también una capacidad finita de compra, y a menos que sea un bien imprescindible, como por ejemplo una medicina, optarán por no comprarlo con la misma regularidad, comprarlo en otro sitio, aunque represente un esfuerzo mayor, o simplemente no comprarlo más.

¿Qué hacer entonces para calcular un precio de equilibrio? Como se dijo en el primer capítulo, existen Empresas que producen gran cantidad de bienes y servicios, pero también hay Empresas que se dedican a la comercialización de bienes al detal, así que para una mejor compresión, se tratarán cada uno de los casos por separado (al detal), tomando en consideración los párrafos anteriores.

Empezaremos con el caso más sencillo de todos, que es la comercialización de un producto, donde el emprendedor concurre a mercados de mayoristas y consigue el producto a menor precio, y luego lo puede revender con una diferencia en otro mercado.

Para los efectos del estudio, se considera el período de un mes. Tenemos dos factores importantes en este ejemplo que se deben destacar, el primero es el inventario de la mercancía comprada (costo variable), que aunque no existe un proceso productivo como tal, corresponden a los bienes que serán vendidos, y luego los gastos en que se incurren (costo fijo).

Para hacerlo más sencillo, tomaremos un enfoque total, donde se debe sumar todo el costo fijo, y el costo de la mercancía que se cree se va a vender, luego se divide el total del costo fijo entre el total del costo variable. El índice resultante debe aplicarse al precio de compra de la mercancía, con el cual se obtiene un precio de compra para no ganar ni perder. A continuación un ejemplo para una mejor comprensión y validación de lo acá expresado.

Una Empresa compra 2.000 gorras para la venta Su costo es de 70,00 cada una, mientras que debe pagar 3.500,00 al mes para cubrir todos los gastos. Se presenta un cuadro comparativo con las diferentes expectativas de venta, donde se explica de manera de manera práctica, cada columna para vender 20 unidades.

Cuadro de cálculo de Precio para un Producto o Servicio.

Precio Inicial	Unidades	Costo Variable	Costo Fijo	Costo Total	Margen	Precio Equilibrio	Ingreso Total
	20	1,400		4,900	250.00%	245.00	4,900.00
	40	2,800		6,300	125.00%	157.50	6,300.00
70	60	4,200	3,500	7,700	83.33%	128.33	7,700.00
	80	5,600		9,100	62.50%	113.75	9,100.00
	100	7,000		10,500	50.00%	105.00	10,500.00

La primera columna corresponde al precio de compra de las gorras, la segunda representa los diferentes escenarios con las unidades que se espera vender en un mes, la tercera expresa el costo variable correspondiente a multiplicar las unidades por el precio de compra (70,00 x 20 = 1.400,00), luego está el costo fijo, correspondiente a los gastos incurridos en el mes, para llegar al costo total, que no es otra cosa que la suma de los dos primeros costos.

La columna siguiente corresponde al margen que se obtiene de dividir el costo fijo entre el costo variable (3.500,00 / 1.400,00 = 250 %), luego está el precio de punto de equilibrio, que se calcula incrementando el precio inicial las veces que indica el margen (70,00 x (1 + 250 %) = 245,00), y el cual representa el precio para no ganar o perder, finalizando con el cálculo del ingreso, que proviene de multiplicar las unidades que se esperan vender, por el precio de punto de equilibrio para cada escenario planteado (20 x 245,00 = 4.900,00).

Como podemos observar en el cuadro anterior, a medida que las expectativas de unidades vendidas aumentan, menor es el precio de equilibrio, es decir, tal y como se explicó en los párrafos anteriores cuando se hacía referencia a un mayor volumen de ventas, se obtiene una mejor ventaja comparativa con respecto el precio de la competencia. Se puede observar además, de que independientemente de las unidades que se estimen vender, el costo total que se genera para cada uno de ellos es igual a sus ingresos, cumpliéndose así la condición de punto de equilibrio.

Se presenta a continuación el siguiente ejemplo, donde existen más de un producto para la venta. Para este caso se mantiene el procedimiento del cálculo del costo, pero para saber el precio de equilibrio, se debe aplicar el índice promedio que se genera del costo fijo y el variable, para luego aplicarlo al precio de cada producto en particular. Se asume el período de un mes para el estudio.

Una Empresa de venta de aceites para vehículos automotores, en la cual compran aceites de tres tipos: 250 para motos, 300 para carros, y 150 para autobuses, y que cada uno de estos costó 15,00 (motos), 25,00 (carros), y 35,00 (autobuses). Sus gastos alcanzan a 5.250,00 mensuales.

Cuadro de cálculo de Precio para varios Productos o Servicios.

Productos	Precio Inicial	Unidades	Costo Variable	Costo Fijo	Costo Total	Precio Equilibrio	Total Ingresos
Motos	15	250	3,750			20.25	5,062.50
Carros	20	300	6,000	5,250	20,250	27.00	8,100.00
Autobuses	35	150	5,250			47.25	7,087.50
		Totales	15,000	Margen	35.00%		20,250.00

Se realiza el cuadro de costo fijo y variable , para este caso en particular, solo se puede mostrar un margen promedio a la vez, que irá variando con los cambios de expectativas en las cantidades que se espera vender, o con un cambio en el precio de la mercancías, o el costo fijo. En la primera columna se reflejan los precios de compra, que si se multiplican por sus cantidades, se obtiene el costo variable de cada producto, y el costo fijo mensual es igual para todos. Luego debajo del costo total se encuentra el margen que corresponde de dividir el total del costo fijo (5,250.00) entre el total del costo variable (15,000.00).

Este margen (35.00%) se aplica a todos los precios iniciales para obtener el precio de equilibrio promedio de cada uno de los productos (15 x (1 + 35%) = 20,25), y por último la columna de los ingresos, que se obtiene de multiplicar las unidades por el precio de equilibrio correspondiente de cada producto (250 x 20,25 = 5.062,50), dando como resultado que el monto total de los ingresos es igual al de los costos totales (20.250,00).

Como se puede observar, no importa la cantidad diferente de productos que se manejen, el procedimiento del enfoque total siempre es el mismo. Lo importante que se puede acotar acá, es que a medida que el costo variable representa un mayor componente del costo total, el margen a ser aplicado al precio cada vez será menor. Al igual que en el ejemplo anterior, el monto del costo total, se corresponde con el monto total de los ingresos generados.

Continuando con el cálculo del precio de equilibrio, le toca el turno a los productos que requieren algún procedimiento técnico para ser elaborados. Sus costos variables se diferencian de los productos comercializados, ya que incluyen materia prima, y alguno que otro costo como transporte, mano de obra, entre otros, dichos costos deben ser calculados de forma manual (estudio de costos), porque en la mayoría de los casos, la presentación en el mercado de los productos necesarios a ser adquiridos como materia prima por la Empresa, no se corresponden con el volumen o la cantidad específica que se requiere para elaborar una unidad del producto. Este estudio debe realizarse por una persona con perfil financiero (contador, economista, o administrador). También se debe tener en cuenta que cuando se trabaja con materia prima, por más tecnología que exista, siempre habrá desperdicios, los cuales deben ser incluidos en el costo variable. De igual manera, se pueden generar pérdidas en inventarios por mal manejo de la materia prima, caducidad de los productos, o por eventos no deseados (teoría del caos).

Se presenta a continuación un estudio de costos a manera ilustrativa para elaborar un producto, en donde se muestran algunos de los factores que se incluyen al momento del cálculo.

Cuadro de Costos para elaborar un Producto o Servicio.

Materiales	Unidades Compradas	Costo Total	Unidades Producidas	Costo por Unidad
Cuero	100 Mts.	10,000.00	3 Mts.	300.00
Desperdicio Cuero			0.75 Mts.	75.00
Hilo	100 Mts.	750.00	5.5 Mts.	41.25
Desperdicio Hilo			1.5 Mts.	11.25
Relleno	200 Bolsas	3,500.00	2.5 Bolsas	43.75
Cierre	50 Cierres	3,750.00	1 Cierre	75.00
Totales		18,000.00		546.25

La primera columna corresponde a los productos necesarios para la elaboración de la silla tipo puff, donde se determina mediante el estudio de costos (ilustrativo), que las partidas, por concepto de de desperdicio de hilo y cuero, corresponden a errores en la manipulación de la materia prima al momento de elaborar el producto, y remanentes propios generados de los cortes por cada unidad de producto adicional. Le siguen las dos columnas que corresponden a las cantidades y los precios que se consiguen en el mercado, las unidades requeridas para elaborar el puff, y por último el costo para elaborar una unidad, que proviene de dividir el costo total entre las unidades compradas, multiplicadas por las unidades de cada producto requeridas para producirlo.

Ejemplo: Si tomamos el rubro del cuero serían los 10.000,00 que costó entre los 100 metros comprados, multiplicado por los 3 metros para hacer una silla, da un total de 300,00 por el uso del cuero.

Los 546,25 representan en este caso, el costo variable de producir una silla, por lo que quedaría por agregar el costo fijo del mes para poder hacer el estudio de precio de punto de equilibrio mensual. Suponiendo que los costos fijos alcanzan 10.500,00 mensuales, quedaría por estimar la cantidad de puffs a ser vendidos.

Este cuadro se asemeja al primer ejemplo de precio de equilibrio para un producto o servicio. Se va a utilizar la primera línea como ejemplo.

Cuadro de Cálculo de Precio de un Producto o Servicio con un Proceso Productivo

Precio Inicial	Unidades	Costo Variable	Costo Fijo	Costo Total	Margen	Precio de Equilibrio	Ingreso Total
546.25	50	27,312.50	10,500.00	37,812.50	38.44%	756.25	37,812.50
	70	38,237.50		48,737.50	27.46%	696.25	48,737.50
	90	49,162.50		59,662.50	21.36%	662.92	59,662.50
	110	60,087.50		70,587.50	17.47%	641.70	70,587.50
	130	71,012.50		81,512.50	14.79%	627.02	81,512.50

Se toma como referencia la primera línea con el estimado de 50 sillas vendidas, siendo su Costo Variable 50 x 546.25 = 27,312.50, la siguiente columna corresponde al Costo Fijo (10,500.00), el Costo Total se obtiene sumando los 02 Costos: 27,312.50 + 10,500.00 = 37,812.50. Para el cálculo del Margen se divide el Costo Fijo entre el Costo Variable 10,500.00 / 27,312.50 = 38.44%. Dicho Margen se aplica al Precio del Producto 546.25 x (1 + 38.44%), dando como resultado el precio de equilibrio (756.25) cuando se estima vender 50 unidades. Para conocer este ingreso, se multiplica el precio de equilibro (756.25) por las 50 unidades , dando como resultado un ingreso de 37,812.50, es decir, el monto equivalente al de costo total.

Los resultados no son diferentes a los anteriormente presentados, donde a medida que las expectativas en cantidades vendidas aumentan, tanto el precio de equilibrio como el margen baja. De igual forma se puede observar, que todos los ingresos cubren el total de los costos para todos los escenarios de unidades vendidas.

Por último, presentaremos un caso de producción de servicios, en donde el componente principal para producirlo lo constituye la mano de obra. Deben incluirse también otros componentes del costo tales como insumos, viáticos y similares, entre otros. Los precios de los servicios ofrecidos son solo de referencia y no representan ningún valor de mercado.

Como la idea del libro no es formar expertos en estudio de

costos, sino más bien obtener y utilizar la información para el beneficio de cada quien, se parte de la suposición de que ya se contrató con la persona idónea para realizarlo, obteniendo los siguientes resultados. Para un negocio de peluquería, se logró determinar que posee los siguientes costos variables para cada servicio ofrecido.

Cuadro de Costos para elaborar varios Productos o Servicios.

Servicio	Costo de Mano de Obra	Insumos	Otros	Costo Unitario
Corte de Pelo	70.00		0.75	70.75
Secado	50.00		0.75	50.75
Lavado	20.00	5.00	1.00	26.00
Peinado	30.00	5.00	0.75	35.75
Manicure	35.00	15.00	0.50	50.50
Pedicure	35.00	15.00	0.50	50.50
Mechitas	70.00	35.00	0.50	105.50
Maquillaje	50.00	35.00	0.50	85.50

A continuación queda el cuadro para calcular el precio de varios servicios que atraviesan por un proceso productivo, el cual se asemeja al segundo caso. Como ejemplo, se explica la primera línea.

Se parte del precio inicial del Corte de Pelo (75.70), en el cual se estiman vender 20 servicios, dando un Costo Variable de 1,415.00 (70.75 x 20), luego el Costo Fijo se estima en 7,250.00, dando como resultado que el Costo Total sea de 19,022.50 (11,722.50 + 7,250.00). El Margen promedio se obtiene de dividir 7,250.00 entre 11.722.50 (61.58%).

Cuadro de cálculo de precio de varios Productos o Servicios en un Proceso Productivo.

Servicio	Precio Inicial	Servicios Vendidos	Costo Variable	Costo Fijo	Costo Total	Precio Equilibrio	Total Ingresos
Corte de Pelo	70.75	20	1,415.00			114.32	2,286.42
Secado	50.75	35	1,776.25			82.00	2,870.14
Lavado	26.00	35	910.00			42.01	1,470.42
Peinado	35.75	45	1,608.75	7,250.00	19,022.50	57.77	2,599.49
Manicure	50.50	15	757.50			81.60	1,224.00
Pedicure	50.50	15	757.50			81.60	1,224.00
Mechitas	105.50	35	3,692.50			170.47	5,966.50
Maquillaje	85.50	10	855.00			138.15	1,381.54
		Totales	11,772.50	Margen	61.58%		19,022.50

Para calcular el precio de equilibrio se toma el precio inicial y se agrega dicho Margen 70.75 x (1 + 61.58%), siendo el resultado 114.32. Al multiplicar este precio de equilibrio por las cantidades estimadas de venta (20), se obtienen 2,286.42 en ingresos. Nuevamente como como en el segundo caso, el Total de Ingresos es igual al Total de los Costos (19,022.50).

Mediante un método sencillo, se ha podido determinar el precio de equilibrio para uno o varios productos o servicios, al igual que cuando está presente un proceso productivo. Este análisis permite poder conocer hasta dónde se puede reducir los precios en caso de tener que asumir una situación estratégica de competencia de precios con la competencia. Pero recuerda que para realizar esta actividad, debes estar asesorado por un financiero de confianza, no te aventures a lo desconocido.

Otro punto no menos relevante, es que una vez obtenido el cuadro donde se pueda evaluar los márgenes estimados para cada servicio, se puede vaciar entonces la información real con las cantidades vendidas, y compararlas con las que se estimaron, para así empezar a conocer el mercado (necesidades de los clientes).

Es por esta razón, que hay que hacer referencia de la importancia que va tomando la generación de estadísticas dentro de la Empresa o negocio, ya que se empiezan a manejar temas de precio, ventas, y volumen de inventarios, o de insumos reales.

Queda entonces por evaluar el precio techo o de la competencia, el cual va a permitir que no se afecten las ventas en el corto plazo. Este proceso de chequeo de precios es importante que se haga de forma periódica, pues permite estar al día con cualquier cambio, promoción o similar que realice la competencia. Generalmente, son los mismos clientes que también dan ese primer pitazo, como estrategia para obtener un mejor precio a la hora de pagar.

El estudio de precios también brinda la información como estrategia a ser utilizada en la promoción o campaña publicitaria para el lanzamiento de un nuevo producto, tomando en consideración entonces a los productos de la competencia, para igualar, reducir, o aumentar el precio al momento de ser promocionado, o como referencia para obtener un pronto pago.

Sin embargo, para el caso de los servicios profesionales, el enfoque es más subjetivo para algunos casos, ya que el mayor componente del costo o valor agregado, lo constituye el conocimiento de una o más personas, y va a depender de la valoración que cada persona le dé a su trabajo, y en función al grado de instrucción, experiencia, calidad de servicio ofrecido, reconocimientos, entre otros.

Cada uno de los Colegios Profesionales posee baremos para tarifar los servicios de cada profesional, o de servicio de consultoría. Generalmente, están orientados a tarifas por horas trabajadas y años de experiencia, y poseen índices adicionales a ser aplicados en caso de viáticos y similares, sin embargo, lo que generalmente ocurre, es un acuerdo entre las partes respecto al precio, el servicio o producto entregado, y el tiempo en el cual debe realizarse.

Para el caso de profesionales establecidos, es decir, que poseen una inversión importante en infraestructura y otros activos, el precio de los servicios debe incluir su costo de reposición o depreciación de todos sus activos como un costo fijo.

De igual manera, ocurre con los servicios a nivel técnico, donde se debe incluir, los honorarios por mano de obra, los insumos o materiales utilizados, según sea el caso.

Las Tres Marías.

"El éxito es un pésimo maestro que conduce a la gente
a pensar que no puede perder."

Bill Gates.

La gestión de cobranzas, la gestión de pagos, y la gestión o manejo del inventario, constituyen las tres marías del negocio, ya que cualquiera de ellas puede producir fuertes dolores de cabeza si no son llevadas apropiadamente. (Se le llaman las tres marías, a las materias de matemática, física, y química, cuando se estudian por primera vez en el colegio en Venezuela). Las dos primeras (Cobranzas y Pagos) forman parte de la Tesorería de la Empresa, es decir, sus recursos disponibles y compromisos adquiridos en el corto plazo, mientras que los inventarios (materia prima, insumos, utensilios, herramientas, productos, etc.) tiene muchos "amigos de lo ajeno" y sujetos a tratamientos preferenciales por parte del personal que los maneja, por lo que se requiere de un control eficaz, en especial si hablamos de productos como las medicinas, los alimentos, los repuestos, entre otros.

Respecto a las Cuentas por Cobrar, al principio como el dinero en la cuenta de Caja y Bancos corresponden a los ingresos que se van generando de las ventas, y no se cuentan con excedentes de períodos anteriores, la mejor opción son las ventas de contado, con la finalidad de poder cubrir los gastos, costos, e imprevistos generados por el negocio en el momento que sea requerido, por esta razón, no se recomienda tener o asumir esta política de crédito inicialmente con los clientes.

Pero también es importante mencionar que en economías que presentan o muestran niveles inflacionarios de 02 dígitos (acumulado anuales), es recomendable mantener el flujo de caja mínimo requerido, para poder utilizar el excedente que se vaya generando en la compra o reposición de Activos, de manera de ir garantizando un precio en el tiempo.

Se debe conocer entonces cuánto egresa o se gasta mensualmente para poder determinar la cuota parte que representa de los ingresos. La determinación del porcentaje de las cuentas por cobrar respecto a sus ventas es estratégico para la Empresa, pues en la medida que se otorguen más créditos a los clientes, más vulnerable quedará el negocio para asumir todos los compromisos de pagos en el corto plazo, ya que no se generará la liquidez necesaria.

Esta situación, se podría transformar en un problema mayor, puesto que el modo más expedito de solucionarlo, sería mediante la solicitud de un préstamo bancario de forma apresurada, o la realización de una gestión de cobranzas, ofreciendo descuentos por pronto pago, para así poder cumplir por lo menos con los compromisos internos (pago de servicios, nómina, etc.), pero en ambos casos afecta la ganancia. Una buena opción como alternativa al otorgamiento de créditos podría ser las afiliaciones estratégicas con entidades bancarias para que los clientes accedan a líneas de crédito paralelas directamente con los bancos.

Para calcular con cuánto tiempo se cuenta (aproximadamente) para poder cubrir las obligaciones mensuales, en caso de que los clientes no puedan cumplir con el cronograma de pagos establecido, se debe tomar en consideración lo siguiente: Primero se revisa el dinero con el que cuenta la Empresa (Caja y Bancos), luego se le restan las obligaciones adquiridas mensuales promedio (nómina, servicios, honorarios, alquiler, mantenimiento, facturas por pagar, etc.) del negocio, y nos da en número de meses para financiar la morosidad antes de caer en una situación irregular.

Este cálculo no se mantiene en el tiempo, ya que varían en la medida en que existan más ventas de contado, se reduzcan las cuentas por cobrar, o se compren más Activos, y deba ser calculada nuevamente.

Algunos negocios requieren de considerables sumas de dinero para poder manejarse desde su fase inicial, como por ejemplo las Empresas de Construcción, donde el esquema financiero refleja grandes erogaciones durante un período considerable de tiempo, para que solo al final se pueda obtener un retorno o ganancia.

Para este tipo de negocios, se requiere de una estrategia de captación de capital en caso de no disponer de él, ya sea mediante la solicitud de un crédito bancario, o la utilización de la figura de la preventa. El problema en este caso, es que si no se logra el cronograma en el tiempo establecido, o se retrasan las ventas, no se podría cumplir con el compromiso de pagar el préstamo al banco, y se corre el riesgo de perder el negocio, ya que el monto del préstamo es tan elevado que los intereses adicionales (mora) rápidamente acabarían con la ganancia.

Otro factor importante que se relaciona con las ventas a crédito, es el componente de inflación, que debe ser asociado o incluido en el precio, puesto que no es lo mismo recibir el pago en el momento, que recibirlo 15, 30, 45, o 60 días después. Algunos de estos costos financieros se estiman de forma anual, para evitar aumentos considerables en los precios a lo largo del año, y también se realizan para poder mantener el mismo volumen en compras en materias primas o inventario en el tiempo, de lo contrario, estas cantidades compradas serían cada vez menores, descapitalizando el negocio.

Por todo lo expuesto, es valioso definir el tipo de cliente para poder actuar en beneficio de la Empresa. Podemos identificar varios tipos de clientes dependiendo del volumen, frecuencia de sus compras, y su forma de pago (contado o crédito), y de acuerdo a esto, definir los diferentes precios de los productos y servicios a ser ofrecidos.

En primer lugar, se encuentran los clientes frecuentes o

esporádicos, que hacen sus compras, pero los montos no se consideran elevados, por lo que dichas operaciones deberían ser de contado. Luego se encuentran los clientes que hacen grandes compras, pero que demandan precios preferenciales, o condiciones de crédito.

Se debe entender entonces que es una situación u otra, no las dos a la vez, es decir, otorgar créditos a un precio mayor, o un precio preferencial de contado.

Para estos casos, el cliente nuevo debería en principio demostrar su capacidad de pago, ya que no se está aplicando el respectivo procedimiento o filtro bancario que pudiera determinar dicha capacidad de pago. Se podría negociar con los clientes, unas primeras ventas o durante el primer mes de relación comercial, con pagos de contado. Una manera de "ceder" durante el proceso de negociación, sería asegurar el costo del producto (fijo y variable mediante un proceso de equilibrio) y financiar sólo la cuota parte de la ganancia, con este procedimiento se garantizará la operación en el tiempo.

Algunas Empresas, producto de una fuerte competencia, realizan estudios de costos para poder determinar los diferentes precios de los productos o servicios en función al volumen y condiciones de crédito, otras simplemente se encuentran en situaciones más ventajosas y trabajan con la escala de precios a crédito, pero venden de contado, para que al momento de negociar descuentos en los precios por volumen, no se vean perjudicados.

Para cualquier escenario que resulte, o se decida en la negociación en una etapa inicial del negocio, es importante tener presente que para el otorgamiento de una mercancía, o la prestación de un servicio cancelado a crédito, con montos que se consideren importantes, debe haber cierto grado de garantía legal (documentos), como por ejemplo el uso de giros, que son perfectamente ejecutables ante un tribunal, en caso de incumplimiento de pago por parte del cliente. De igual manera, se deben establecer por escrito los costos de cobranzas extrajudiciales o judiciales, según sea el caso.

Los clientes corporativos poseen gran capacidad de compra y requieren del respectivo crédito para poder iniciar una relación comercial, por lo que sería bueno evaluar entonces cuán beneficioso sería para la Empresa el acceder al crédito desde el primer momento. Estos escenarios de negociación ocurren con Empresas mayoristas que manejan gran cantidad de productos, o Empresas que manejan la representación exclusiva de un producto en particular. Se debe calcular entonces la ganancia que generaría la eventual venta, y restarle el componente inflacionario producto del eventual riesgo generado por el incumplimiento o retraso en el pago, para poder tener un valor estimado del efecto real.

Ponemos como ejemplo el siguiente caso, si un cliente compra 100 unidades de un producto y decide que lo cancela a 30 días, se le facturan las 100 unidades con el precio a 30 días, pero en realidad el cliente termine pagando a los 45 o 60 días, luego de una gestión de cobranza. En este caso se compara la ganancia con el precio a crédito pactado, y se resta el monto proveniente de los precios entre la fecha pactada y cuando realmente pago.

También existen casos en los cuales los clientes corporativos solicitan una mercancía a crédito, pero antes del período de pago solicitan más mercancía. Se debe estar pendiente con esto, porque en muchos casos, como no se lleva el control de los montos vendidos y cobrados a los clientes, por ser diferentes departamentos, y se termina financiando más tiempo de lo debido, o por un monto mayor a lo que inicialmente se estimó.

Respecto a las garantías de pago, la mejor política en estos casos particulares es cortar el suministro de productos o servicios, pues, es la mejor manera de presionar para lograr el pago pendiente, ya que estos clientes siempre van a requerir más productos. Pero no todo será estimación del comportamiento de pagos de los clientes, porque a medida que pase el tiempo, sus acciones o experiencias comerciales, son las que realmente van a determinar el escenario que se le deben negociar a cada uno de ellos. Nuevamente, se hace importante dejar constancia escrita de la trayectoria de cada cliente, para que las personas que reemplacen en las actividades de ventas, mantengan o garanticen esta continuidad de escenarios o condiciones.

Para el manejo de las Cuentas por Pagar se debe dar una vuelta de 180°, para convertirse ahora en nuevos clientes para otros proveedores. Probablemente también los compromisos de pagos deban ser de contado en una etapa inicial, así como también de otorgar cualquier tipo de garantía legal que requieran. Es por eso que son tan importantes las ventas de contado en un principio.

Las Cuentas por Pagar están relacionadas con las Cuentas por Cobrar, ya que determinan una posición financiera dependiendo del monto de cada una de ellas, es decir, las Cuentas por Cobrar representan el dinero (en mercancía) en manos de los clientes que están financiados por el negocio, mientras que las Cuentas por Pagar representa lo contrario, el financiamiento (en mercancía) que dan los proveedores al negocio. Una posición en donde la Empresa tenga más Cuentas por Cobrar que Cuentas por Pagar es completamente desfavorable, pues es el primer síntoma de la descapitalización.

También se relacionan a nivel fiscal (caso venezolano) , pues los aumentos en las Cuentas por Cobrar de un período fiscal, representan ajustes positivos (aumento en créditos fiscales), mientras que un aumento de pasivos ocasionan efectos contrarios (disminución en créditos fiscales). Así como también las Cuentas por Cobrar disminuyen la base del impuesto al final de cada período fiscal, pero las Cuentas por Pagar las aumentan.

Al igual que para el caso de las Cuentas por Cobrar y los clientes, también debe haber una clasificación de los proveedores de acuerdo al tipo de mercancía que suministran, y la medida porcentual que representan de las compras totales. Se deben hacer esfuerzos por cumplirles a todos los proveedores, pero en especial, aquellos que suministran productos de alta rotación, o representan un porcentaje considerable del total comprado, pues el corte del suministro de dichos productos por falta de pago, pondrían el negocio en una situación de vulnerabilidad desde el mismo momento en que ocurra.

Se debe estar claro que las Cuentas por Pagar generan un efecto de bonanza parcial en las cuentas bancarias al momento de solicitar saldos, por lo que es recomendable, al principio, mantener a mano o manejar de cerca, los compromisos de pagos del mes, para no caer en la falsa idea de una prosperidad relativa, y cometer entonces el error de desviar esos fondos a cubrir gastos personales.

Para hablar de los inventarios, se requiere de sistemas que permitan su evaluación y control, ya sea que se realicen de forma manual o mediante el uso de programas. No se va a profundizar en el tema de su valorización contable, pero sí es importante que se apliquen revisiones de forma periódica o puntual, para poder detectar desviaciones no deseadas.

Uno de los problemas más comunes en cuanto a inventario en negocios pequeños, es el mal manejo por parte del personal operativo del sistema, donde se incluyen productos con códigos errados, se facturan productos similares por poseer el mismo precio (p. ej. refrescos), se confunden los códigos de mercancías unitarias por los de cajas, entre muchos otros, trayendo como consecuencia, una mala base de productos a ser facturados, es decir, productos en existencia que no se encuentran en el sistema, y viceversa. Esto ocurre básicamente porque se asume que el personal a cargo realiza bien sus actividades, y no se le da ningún tipo de supervisión o seguimiento.

Existe el problema de los productos que deben salir del inventario por fecha de vencimiento, malas condiciones del producto, entre otros. También están los productos que sacan del local de forma indebida. Para todos los casos, se requiere de una actualización oportuna del inventario.

Se pueden hacer levantamientos programados de todo el inventario, o chequeos sorpresa de forma aleatoria y con pocos productos, que puedan ser escogidos al azar, o siguiendo alguna metodología, como por ejemplo, los 5 más vendidos o menos vendidos, por orden alfabético, por el tipo de mercancía, revisar nuevamente parte de la mercancía que llega a la tienda antes de ser colocada en los estantes para la venta, etc., para que de esta forma, no sea afectado el normal desenvolvimiento de las operaciones.

Mientras el volumen de inventario sea mayor, más actividades de chequeos deberían ser realizadas, con la finalidad de mantener un inventario actualizado, de igual manera, reforzar los mecanismos para su ingreso, manipulación, y egreso. El uso de etiquetas con toda la información pegada a la mercancía, garantizan agilidad al momento de facturar, y validar que sea el producto con el precio correcto.

Otro punto importante a mencionar acá es la optimización de los inventarios. Se debe tener claro cuándo y cuánto comprar. La mejor manera de ir mejorando este aspecto, es mediante la evaluación de las ventas registradas y mantener un inventario actualizado, lo que va a permitir estimarlas en el tiempo, y en consecuencia, saber cuándo comprar (tiempo de reposición de la mercancía) y cuánto comprar (necesidad por adquirir el producto) dependiendo del período.

Como se menciona en otras oportunidades en el libro, se debe hacer énfasis en cuanto al manejo del inventario, las condiciones físicas o mantenimiento del espacio, la distribución de la mercancía y medios de acceso, medidas de control administrativo para su ingreso y egreso del depósito, en caso de que aplique.

Ya Crecí.

*"Haz felices a aquellos que están cerca,
y aquellos que están lejos vendrán."*

Proverbio Chino.

Un buen indicativo de que las cosas van mejorando, es que se hace necesario contratar personal adicional para que ayude en el negocio, así que si este es su caso, permítame felicitarlo por ese logro tan importante, pues demuestra que su negocio ya cumplió con esa primera etapa de afianzamiento y aceptación por parte de los consumidores y clientes, es decir, un grupo importante de personas está dispuesta a pagar por una cantidad de productos o servicios que ofrece, lo que le permitirá mantenerse en el tiempo.

Pero este proceso seguramente conllevó a una toma de decisión importante en cuanto a la escogencia del candidato o los candidatos que ocuparían estos nuevos puestos, ya que al momento de elegir, se debe tomar en consideración las responsabilidades del cargo, la capacitación que se requiere para que alguien lo ocupe, y el perfil que sería escogido, independientemente a quién se decida elegir, a un familiar, una persona interna (que ya trabaje en el negocio), o por un ingreso externo. En algunos casos, es recomendable para las personas externas, el uso de compañías especializadas, en la búsqueda del personal adecuado, ya que aplican diferentes filtros y baterías, exámenes, test psicológicos, entre otros, a los nuevos aspirantes, que puede evitar mediante una evaluación minuciosa por un profesional capacitado, el ingreso de una persona equivocada, ya sea porque no esté capacitada para el cargo, tenga intereses personales ajenos a las políticas del negocio, o simplemente que el perfil no fuera el más adecuado para los intereses de la Empresa. Al utilizar este tipo de compañías, se reduce el costo adicional de selección, contratación, y entrenamiento a personas que no puedan cumplir con el cargo, y deban ser reemplazadas una y otra vez, porque es la Empresa la que asume el riesgo de contratar a alguien que no pudiera estar capacitado para un puesto de trabajo, cada vez que se requiera de aumentar la organización, o suplir una vacante de forma parcial o permanente. Se considera un costo oculto.

El proceso organizativo surge en respuesta al incremento del volumen de trabajo que va experimentando la Empresa en las diferentes áreas, en donde se contrata personal adicional, y se empiezan a diferenciar las actividades de un proceso, para ser asignadas a una sola persona. Esto aunque suene sencillo, realmente no lo es, pues empiezan a surgir diferencias en la relación entre una persona y otra, en cuanto a la forma de trabajo, falta de comunicación, tiempos de entregas, calidad de trabajo, perfiles y compatibilidad de caracteres, sana competencia, entre muchos otros ambientes, que podrían afectar el proceso total, porque ya no sería importante solo el desarrollar las actividades, sino cómo o de qué forma deben realizarse también, y se empieza a hablar de trabajo en equipo, es decir, el trabajo de una persona va a depender del trabajo de otra.

Por esta razón se debe definir una metodología que permita identificar los elementos de forma objetiva que cada empleado maneja, sus insumos, el valor agregado que proporciona su trabajo, el producto que le toca elaborar, dependiendo de las características o condiciones que debe tener, y el tiempo a ser entregado.

Insumo:
Materia Prima, Información (Reportes, Estadísticas)

Valor Agregado:
Trabajo físico o mental

Producto:
Producto terminado, Información (Reportes, Estadísticas)

Mediante este enfoque se definen también las personas que serían las responsables de cada paso. Los insumos serían representados por los proveedores, porque ellos suministran todo lo que se necesita hacer para el trabajo, luego la persona que lo realiza, que es la encargada de hacer lo que le corresponde (qué hacer, cómo hacerlo, cuándo hacerlo o terminarlo), y por último el cliente que recibe lo que se realiza. Pero cada uno de estos pasos, deben cumplir con parámetros de tiempo, y determinadas condiciones técnicas que garanticen un trabajo de calidad y de forma oportuna.

Este producto final, a su vez, se convierte en el recurso de la actividad que sigue, ya sea del mismo proceso o de otro diferente, agregándole también valor y creando otro producto diferente o complementando uno inicial, formando así una cadena de valor con actividades generadoras de productos de un proceso a otro. De esta forma, se pueden obtener a dos o más personas verificando un producto final cada vez que se le agrega valor. Cuando se habla de productos, en este caso, no se refiere solo a los que se podrían ser producidos literalmente para ser vendidos durante un proceso de producción, sino todo aquello que se genera del trabajo de cada quien o aporte valor. Para la Administración, por ejemplo, un producto a elaborar sería la nómina, en Compras podría ser la adquisición de materia prima, insumos, algún activo o servicio.

Es momento entonces de empezar de hablar de organización, porque las actividades que realiza cada empleado, debe mantener un equilibrio que permita ejercer un control en cada uno de los procesos y actividades asignadas, ya que cada uno de ellos, empiezan a relacionarse unos con otros, tal y como se muestra a continuación:

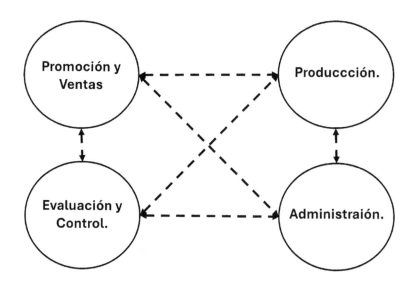

A manera de ejemplo, se describen algunas actividades de procesos diferentes y cómo se relacionan entre ellas: Evaluación y Control se relaciona con las demás áreas, pues recibe y maneja todas las estadísticas que deben generarse de todas las demás áreas, y luego elabora un conjunto de propuestas a ser discutidas en una reunión de grupo. Administración se relaciona con las demás áreas, pues, recibe la información de todas las horas trabajadas, las solicitudes de insumo y otros, para luego elaborar y entregar la nómina a cada empleado, o suplir cada requerimiento de cada área, Promoción y Ventas se relaciona con Producción, pues Ventas le suministra la información a Producción, la cantidad de productos requeridos por los clientes, mientras que Producción reporta a Ventas cuándo podrían estar listos.

A medida que los procesos se van desarrollando, las posibilidades de relación entre cada uno de ellos será mayor. Es por eso que para poder medir y controlar cada actividad de procesos diferentes, deben existir medios (electrónicos, o escritos) que permitan dejar registro de lo que se realizó y entregó, para una posterior evaluación, en caso de ser necesario.

Pero alguno de ustedes se preguntará sobre la utilidad de este tema en particular, pues bien, una de las situaciones más frecuentes en negocios pequeños es que se hacen actividades cruzadas, es decir, personas que laboran en el área de producción o ventas, se le asignan actividades administrativas sin ningún tipo de supervisión, rompiendo el equilibrio entre dos procesos independientes, ocasionando la anulación en algunos casos, del respectivo control que debería existir entre uno y otro, y en otros casos, el realizar una actividad de forma incorrecta, por no contar con toda la información disponible, o la persona encargada del momento no posea el perfil adecuado. Esto ocasiona, para ambos casos, situaciones no deseadas que deberían ser corregidas.

Existen en Organización cuatro procesos fundamentales que son los que permiten establecer controles sobre la Empresa, bajo el esquema de insumo, valor agregado, producto.

El primero de ellos son las políticas, que se deben dictar en cuanto a la dirección del negocio, y velar por su cumplimiento. Es importante realizar una planificación que permita disminuir los riesgos a los cuales puede estar sometida la Empresa en un momento determinado, y que impiden su normal desenvolvimiento; problemas de cajas, problemas laborales, multas, cierres temporales, entre otros.

Esta planificación debe ser hecha de forma oportuna por los dueños, o en su defecto, personas facultadas por la Asamblea de Accionistas como miembros de la Junta Directiva.

El segundo corresponde a los procesos de complemento de la Empresa, como su nombre lo dice, complementan las acciones o procedimientos de apoyo que se deben cumplir con terceros, ya sean de índole privado, o público, es decir, son procesos que vinculan a la Empresa de forma directa con otras actividades que no son propias de ellas. Un ejemplo de esto, son los proyectos sociales orientados hacia la comunidad, el manejo de las obligaciones fiscales y parafiscales, entre otros.

Un tercer proceso es para los procedimientos de apoyo, y corresponden a las áreas que brindan soporte a los procesos básicos, y se relacionan de manera directa con el proceso productivo, tales como el área de Compras, Ventas, Administración, etc.

Por último tenemos los procesos básicos, que van relacionados con la elaboración de los productos o servicios que generan los ingresos. De igual forma, requieren de una supervisión ejercida por coordinadores, supervisores, o gerentes, dependiendo de la estructura organizativa.

Estos procesos no obedecen a una normativa cerrada, es decir, dependiendo del tipo de actividad que realice la Empresa, los procedimientos de las áreas involucradas pueden ser catalogadas de una forma o de otra, por ejemplo, si estamos hablando de una Empresa de Publicidad, el proceso básico se ubicará en esa área específica, mientras que si la Empresa se dedicara a otro ramo, por decir una Farmacia, la Publicidad estaría como un proceso de apoyo.

Como ya se mencionó en dicha cadena de actividades debe estar agrupada en 4 grandes grupos que repercuten a su vez en el Organigrama de la Empresa, en el cual se definen 3 niveles dentro de la Organización: Alta Gerencia, Línea Media, y Línea Operativa. Cada uno de estos procesos se reflejan en la Estructura Organizativa, tal y como se muestra a continuación:

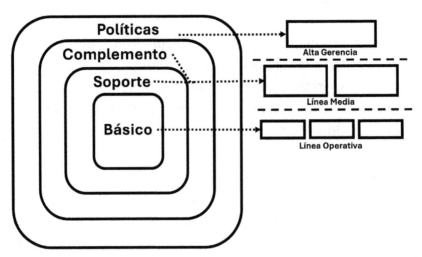

Como primer punto tomamos el objeto de la Compañía, el cual va a impactar directamente en la operación de la Empresa, de igual manera el Capital que lo conforma. Luego tenemos las responsabilidades de la Junta Directiva, que representa la línea de la Alta Gerencia de la Empresa, y los empleados que ésta contrate para el logro de sus objetivos, conformando la Línea Media, encargada de realizar los procesos de apoyo y complemento. Por último, la Línea Operativa de la Empresa, encargada de ejecutar los procesos productivos o medulares en la elaboración de los productos del negocio. Al igual que en el área contable, no se pretende formar a nadie experto en Organización, sino más bien, que se tenga algún conocimiento general del área, de cómo funciona, que permita entender el porqué de algunas situaciones en cuanto al personal se refiere, y que conlleven a tomas de decisiones en beneficio del negocio.

Para poder efectuar cambios en cuanto a Organización, como los anteriormente descritos, se requiere de un personal capacitado, que por lo general son Consultores. Estos profesionales están en la capacidad de detectar cualquier tipo de falla en la que se pudiera estar incurriendo, y plantear posibles soluciones en consecuencia.

Cualquier tipo de estructura organizativa, ya sea pública, privada, militar, eclesiástica, sin fines de lucro, etc., debe cumplir con 3 objetivos principales:

El primero de ellos es la sustentabilidad (relación de la estructura con el entorno para obtener ingresos): La organización debe estar en capacidad de obtener los recursos necesarios para su funcionamiento: Para lograrlo, debe haber un ambiente externo (personas u organizaciones) que estén dispuestas a colaborar (económicamente), ya sea mediante la donación o compra de un producto o servicio.

Para el caso de las organizaciones de carácter público, incluyendo la militar, es el mismo Gobierno el interesado, por lo que aporta el capital necesario para su subsistencia. En el caso de las organizaciones sin fines de lucro, dependen de las donaciones que realizan las personas, las empresas, o entes del Estado. Ahora bien, para el caso de las organizaciones privadas, la forma de obtener recursos es mediante la venta de productos o servicios, proceso que hemos venido explicando a lo largo del libro.

El segundo corresponde al compromiso (relación vertical u horizontal); de los miembros de la organización entre sí: Se debe tener claro que las organizaciones están conformadas por personas, que poseen necesidades, y que deben estar capacitados para relacionarse. Estas interacciones, por ejemplo, siempre generan sensaciones (simpatía, rechazo, interés, aburrimiento, amor, rabia, etc.) producto de estímulos (visuales, sonoros, o táctiles), que se van almacenando como experiencias respecto a esta relación a medida que pasa el tiempo, independientemente del tipo de relación que exista entre ambos (pareja, laboral, jefe/subordinado, pastor/feligrés, padre/hijo, etc.) o de la actitud que se asuma en un momento determinado de interactuar (ser cuidadoso, responsable, despreocupado, estar atento, etc.). Es por esta razón, que cada miembro no podría estar en la disposición de comprometerse a realizar una actividad de la mejor manera posible todo el tiempo.

No se puede comprar una pastilla de compromiso en la farmacia, para que la tomen todos los miembros de la organización. Para lograr que esto se genere, es mediante la motivación y satisfacción de sus necesidades en el tiempo; y esto solo se logra con la comunicación efectiva, oportuna, y el cumplimiento de ambas partes de lo ofrecido en el corto, mediano, o largo plazo. El tipo de liderazgo que se ejerza entonces, y la estructura organizativa que se requiera desarrollar, va a ser determinante en el resultado obtenido.

Debe haber un medio tangible de motivación, reforzado mediante un proceso de comunicación efectiva. La milicia, por ejemplo, se fundamenta en una organización vertical, donde se requiere de entrenamiento específico para que todos sus miembros acaten órdenes sin ningún tipo de cuestionamiento, pero poseen el programa de ascensos y otorgamiento de medallas como medio de motivación a su trabajo. La empresa privada, también posee una estructura organizativa que la regula, pero va a depender de los diferentes niveles jerárquicos que la conformen, y el tipo de liderazgo que se practique (unilateral, compartido, entre otros). De igual forma, se debe dejar claro el procedimiento y las condiciones para que cada empleado pueda recibir los beneficios que se obtienen por logros obtenidos (reconocimientos verbales, promociones, aumentos, bonos, cursos, etc.) en el tiempo, y generar así la expectativa de algo mejor.

Un ejemplo clásico de trabajadores no motivados son los empleados del sector público, ya que su estructura organizativa y funcionamiento, depende de una estructura cerrada (sin cambios), que no permite mejoras a sus funcionarios (Estado), producto de lo que representaría el otorgamiento de algún beneficio adicional. En este caso, es común observar como algunos de los empleados, tratan de obtener beneficios adicionales por su cuenta, y en perjuicio de la imagen del Gobierno, todo producto de uan falta de supervisión adecuada. No quiero generalizar con esto, simplemente que hay que tener consciencia de que hay gente de gente, y se debe estar atento.

El tercer punto corresponde a la oportunidad de mejoras, mediante el control y la evaluación de los resultados. Como su nombre lo indica, debe existir dentro de cada organización un mecanismo de control y evaluación. que permita corregir situaciones no deseadas o que generen mejoras en el tiempo. Se debe estar en capacidad de generar toda la información (estadística y financiera) necesaria para su evaluación y toma de decisiones. El paso inicial para esto es proyectar un presupuesto, que agrupe los objetivos y metas a ser cumplidas en un período determinado (un año), luego y durante períodos más cortos (mensuales, trimestrales), se va evaluando el desempeño de la Empresa, para conocer su realidad e ir aplicando los correctivos necesarios para lograr las metas en el tiempo esperado.

Se debe evaluar entonces los recursos que se utilizaron (personal, materiales, equipos, materia prima, infraestructura, etc.) el tiempo y el valor agregado que aportó cada uno de los recursos, y la forma cómo fueron utilizados. Cualquier organización realiza este tipo de ejercicios, para poder determinar un balance de la gestión realizada, en un período determinado, ya que constituye una medida objetiva de evaluación, que puede ser reconocida por cada uno de los miembros que la integran.

En este punto, es importante recordar que la rendición de cuentas de cada persona, determina la forma de utilización de los recursos otorgados, y por lo tanto, no puede estar por debajo del grado de confianza que se le tenga a cada miembro dentro de la organización.

Hasta el momento, se ha tratado de dibujar el alcance de lo que la teoría expresa, a continuación el siguiente tema: A Empezar!, una aproximación más dinámica de lo que representa emprender.

¡A Empezar!

"Dentro de un año,
Usted pudiera haber deseado comenzar hoy."

Karen Lamb.

Me gustaría iniciar el tema, haciendo referencia a cuándo sería el momento más propicio para empezar, mediante el planteamiento de dos escenarios posibles, una vez superada la etapa de satisfacción de necesidades por medio de una idea. Es bueno recordar que los emprendimientos y negocios están sujetos a cambios desde el primer momento, generando situaciones de altos y bajos, pero lo importante acá para recalcar, es que estas situaciones pueden ser mejoradas o modificadas con acciones oportunas.

El primer escenario es llevar productos conocidos a lugares o zonas diferentes, en este caso sería bueno tener una asesoría de personas que manejen o vendan el producto, o que conozcan el lugar donde se desea colocar.

El segundo escenario corresponde a generar productos o servicios nuevos en el mercado y que nadie conoce, por lo que se hace un poco más delicado y hasta cierto punto, representa un tema de mayor riesgo. También se incluyen en este grupo, los servicios profesionales que aunque ya existan en el mercado, se prestan de manera individual, y los futuros clientes no conocen en principio la trayectoria de los nuevos emprendedores o profesionales que los prestan. En este tipo de emprendimientos, se recomienda empezar con el menor capital posible.

A veces este proceso de promoción puede ser lento, porque ganarse la confianza de alguien en estos tiempos no es tan fácil como parece, así que no hay que perder las esperanzas cuando las cosas no salen como uno espera o estima.

Ahora bien, la pregunta sin respuesta es: ¿Cuándo es el mejor momento para emprender? Para el primer escenario, podríamos decir que el mejor momento sería ahora, puesto que tenemos productos que son ampliamente conocidos en el mercado, y en principio no debería haber mayor problema para que la gente los adquiera, siempre y cuando sea el precio justo. Sin embargo, para el segundo escenario se requiere un poco más de paciencia, puesto que hay que darles chance a las personas para que conozcan los productos o servicios, y empiece a hacer el efecto de la publicidad de boca en boca.

Esto nos trae a la conclusión de que el mejor momento para lanzarse en el segundo escenario, es cuando el tiempo que le estamos dedicando a la nueva actividad, nos empieza a limitar de alguna manera lo que habitualmente se hacía para generar otros ingresos.

Hasta este punto, se ha utilizado el tiempo para dar algunos conceptos que deben ser manejados, pero como se expresó al principio del libro, los negocios son eslabones de actividades que deben estar unidos, como en una cadena para que funciones de manera óptima. Es el momento entonces de unir todas las actividades, para esto, se hará uso de tres elementos: Estar preparados, estar conscientes, y estar dispuestos.

En el gráfico que se muestra a continuación, se representa un escenario lo más parecido posible a la realidad, donde se encuentran estos tres elementos, rodeado de un medio ambiente representado por personas naturales, jurídicas, o representantes de algún ente del Estado, los cuales estarán interactuando con el negocio hasta que cese la actividad, Es importante entonces el tener en cuenta todos estos aspectos al momento de planificar las actividades, porque sin duda tendrán algún efecto sobre el negocio.

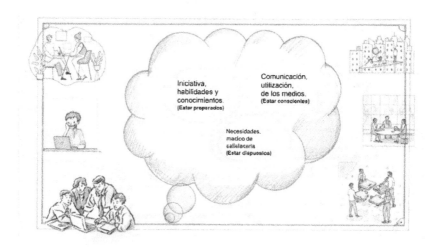

El primer elemento como ya se expresó corresponde a estar preparados, lo que significa que es de suma importancia el conocer o manejar, toda o la mayor parte de la información sobre el negocio, y su medio ambiente. Dicha información se puede acceder de cualquier forma, ya sea por iniciativa propia, contratación de un especialista, familiares, amigos, empleados, en fin, por cualquier persona con información útil que deseen compartir.

Este puede ser un proceso confuso, por todas las actividades que se deben hacer a la par, y también por la cantidad de conocimientos que se reciben en un tiempo relativamente corto, lo que en su conjunto genera retrasos y contratiempos, en cuanto al cumplimiento de una agenda diaria.

Una buena manera de darle continuidad a todas las actividades por hacer, es elaborar y realizar una actualización de una lista de pendientes al final del día, para darles un repaso de 5 minutos a la mañana siguiente con las actividades que deben ser realizadas. Con ese procedimiento se generan ahorros importantes de tiempo y se lleva un registro, que resulta muy útil como recordatorio y soporte.

De igual manera, es buena idea hacer un estimado de gastos semanales, quincenales, o mensuales que se requieran con algunos pagos en efectivo, y se evita estar sacando plata del banco en forma continua, generando ahorros de tiempo y comisiones adicionales por cada operación o transacción (p. ej. cajeros automáticos).

Dentro de la información básica que se debe manejar:

Producto con su mercado:
Necesidad del producto o servicio dentro del mercado. Capacidad de compra para adquirirlo.
Capacidad para producirlo: Posibles proveedores, Maquinaria, Servicios.
Posibles clientes: Forma de pago y tiempos de entrega del producto, localización del punto de ventas o local, relación costo/valor respecto a los de la competencia.

Adquisición de Activos:
Conocimiento operativo de la maquinaria y equipos, mantenimiento preventivo y correctivo, manejo de la materia prima e inventarios.
Condiciones adecuadas en cuanto al metraje, servicios, y permisología requerida por la infraestructura utilizada.
Tiempos de producción, capacidad máxima, y costo de reposición.
Fuente de Financiamiento.

Planificar las Actividades de cada Proceso:
Determinar y diseñar las actividades de cada proceso (producción, ventas, administración, entre otros) de acuerdo al tiempo que requiera cada una, y su importancia.
Asignar la actividad a un responsable.
Crear puntos de control entre un proceso y otro, mediante el uso de formatos manuales o digitales que generen estadísticas.
Realizar planes para lograr objetivos, hacer el seguimiento, y

corregir las desviaciones.

Cubierto el primer elemento, pasamos al segundo: Estar conscientes, que se relaciona a su vez con la obligación de dar a conocer lo que se sabe hacer mediante un proceso de comunicación continua, que comienza con el traspaso de toda la información (actividades) en efecto cascada o dominó hacia los empleados, y culmina con el proceso de llamar la atención de los clientes, mediante alguna actividad publicitaria, y el respectivo proceso de negociación con el cliente.

Contrato de personal:
Programa de inducción sobre la Empresa, su Visión, Misión, y Valores.
Información sobre el cargo y las expectativas de remuneración y beneficios, cumplimiento de las políticas o cualquier otra normativa.

Traspaso de conocimientos:
Características, formas de trabajo, tiempos de entregas.
Entorno y personal con el que se estará en contacto.
Entrenamiento en cuanto al uso de maquinarias o herramientas de trabajo.
Entrenamiento en cuanto al manejo de formatos y reportes.

Medios de publicidad:
Acto de apertura del local.
Realizar alguna actividad de promoción para darlo a conocer.
Proceso de inducción en ventas y atención al cliente.

Manejo de la marca.

Hay que hacer un alto para decir que por muy sencilla que sea la actividad, en algunos casos, el conocimiento o la habilidad no pudieran sustituir la capacidad que se requiere para ejecutar una actividad específica, y podría generar errores inevitables una y otra vez, en consecuencia, continuarán hasta que puedan ser detectados o corregidos. En este sentido, es preferible inculcarle a cada empleado la importancia de notificar al supervisor la situación en caso de duda, o el resultado no esperado, sobre todo en esa etapa inicial de aprendizaje o inducción.

Es importante que al momento de transmitirle al empleado la Misión, la Visión, y los Valores que deben practicarse, se debe compartir también las metas y las expectativas, ya que ellos sentirán de alguna manera que están siendo involucrados como parte del negocio, lo que permitirá escenarios más abiertos en cuanto a una comunicación efectiva, cuando se requiera en un futuro.

Además, se debe considerar dentro de este elemento, la forma cómo se realizará esta actividad de comunicación a futuro, es decir, la forma de cómo deben ser las relaciones al momento de interactuar el dueño con los empleados, el dueño o empleados con los clientes o proveedores, el dueño con algún funcionario del Gobierno, los empleados entre sí, etc., porque se debe estar preparado para ofrecer una información real y oportuna, y de igual forma, de una manera amable y cordial.

El último elemento que cierra el ciclo y mantiene la rueda del negocio en movimiento, es estar dispuestos a satisfacer necesidades, que en algunos casos se realiza mediante un proceso de negociación y en la medida de lo posible, con cada una de las personas que conforman el entorno del negocio.

Si se habla de los proveedores, honrar los compromisos asumidos, en especial lo financiero, y tener mente abierta para procesos de negociación. Las mejoras en las condiciones pueden llegar con un exelente relación laboral en el tiempo.

Si se habla de empleados, al haber comunicación, se conocen sus necesidades, y se pueden crear políticas de motivación, que permitan generar un excelente ambiente de trabajo, y con expectativas de prosperidad o un mejor nivel de vida, lo que se traduce en empleados comprometidos y colaboradores.

Si se habla por ejemplo de los clientes, ya se conoce el proceso de elaboración de los productos y la posibilidad de modificarlos, por otro lado, se puede mantener el contacto con ellos y conocer sus gustos, y en consecuencia se podrán satisfacer sus necesidades, ya sea mediante la venta del producto, la calidad del servicio, etc.

Pero también es importante que dentro de un proceso de negociación se deba estar preparado para decir que "no", o de tener otras alternativas que permitan mantener la puerta al diálogo, en caso de algún conflicto o diferencia, o a la posibilidad de un nuevo negocio con un cliente. Para poder satisfacer las necesidades de los clientes, se debe manejar los siguientes conceptos a la hora de producir:

Efectividad: Capacidad de satisfacer el cliente en el tiempo correcto, pudiendo existir algunos reprocesos en el camino.

Control de Calidad: Capacidad de producir bienes y servicios de manera uniforme.

Eficiencia: Capacidad de producir bajo controles de calidad y en el tiempo correcto.

Cada uno de los tres elementos expresados en este capítulo están unidos entre sí y dependen uno del otro, se debe guardar un orden para realizarlos, pues cada uno de ellos necesariamente va incluyendo al anterior, es decir, para poder traspasar el conocimiento de una actividad, es preciso adquirirlo primero, de igual forma, para entrar en un proceso de negociación (no necesariamente en resolución de conflictos en este caso), se recomienda poseer la mayoría de información al respecto de cada tema, y por supuesto, conocer a la contraparte y sus necesidades, porque también ayuda a la hora de ofrecer alternativas que le sean de interés, y que se esté en posibilidad de ofrecer.

A medida que avance el tiempo y se vayan consolidando los elementos, se harán más complejas la tomas de decisiones, y el riesgo se agravaría aún más si se pretendiera saltar los elementos o realizarlos de manera parcial, es decir, es como adquirir un videojuego nuevo y pretender ganar en los niveles más avanzados con pocos intentos. Mientras se mantengan todos estos procedimientos, se podrán verificar que todas las actividades que se requieran efectuar, sean hechas en el tiempo correcto o estimado.

Pero cada acción o actividad que se realiza, recae sobre una contraparte, ya sea sobre un cliente, un empleado, un proveedor, un equipo, generando una reacción en cadena, ya sea de forma positiva o negativa. Se presentan a continuación algunos ejemplos de situaciones del día a día

Una falta de supervisión y control sobre los empleados en cuanto a la calidad de la atención a los clientes, desempeño en su trabajo, cumplimiento en las políticas y normativas de la Empresa. El cliente, por su parte, sí evalúa cómo lo atienden.

Falta de oferta de productos que cumplan con todas las normas de calidad o higiene, ya sea que no se cumpla con los procedimientos adecuados en cuanto a la manipulación de los alimentos o productos, deficiencias en los equipos para el almacenaje de las materias primas o productos terminados. También podríamos incluir una falta de inversión en adquirir productos (inventarios, materia prima, empaques, etc.), que de alguna manera se consideran exclusivos, y que llamen la atención del cliente. El cliente siempre compara la calidad/precio del producto con otro similar

Locales que no llamen la atención, mal distribuidos, o con una decoración interior (mobiliario, equipo, enseres) no adecuada. De igual manera, la falta del debido mantenimiento a la infraestructura. El cliente observa el entorno.

Mercado no definido o una publicidad orientada al público objetivo equivocado, que podría atraer a personas no adecuadas al tipo de negocio. El cliente también analiza el tipo o perfil de las personas que acuden al sitio, o no compran porque no son el cliente correcto.

Mal manejo de las promociones. En muchos casos no se crean mecanismos de control adecuados, perdiéndose el objetivo inicial, luego la falta de comunicación a todo el personal involucrado de cómo o cuándo se debe aplicar la promoción, para evitar confusiones durante la ejecución, y por último generar la data que permita el análisis y evaluación posterior de su impacto. El cliente presiona para ver cuánto más puede aprovecharse de la promoción, o salirse de las condiciones.

Aplicación de un control excesivo de todas las áreas por parte del dueño o gerente, rechazando opiniones o sugerencias por parte de cada persona con un nivel de supervisión, que pudiera mejorar el desempeño del grupo de trabajo, o que podrían ayudar con las situaciones del día a día, por ejemplo. Esto genera un ambiente de caos emocional en toda la estructura organizativa, al no tomar en consideración el valor agregado que cada persona puede aportar. El cliente se da cuenta a simple vista de la mala interacción entre los empleados y supervisores.

Podemos decir, que es muy fácil entonces, para un cliente, detectar cuándo se genera una empatía o no con el negocio, es decir, cuando las personas, por un lado, entran a un local, por ejemplo, y empiezan a emitir juicios de valor respecto al estado de la infraestructura, variedad y calidad de los productos, atención al cliente, entre otros aspectos, a cambio de los que estarían dispuestos a pagar; igualmente los empleados respecto a las condiciones de trabajo y su salario, y por supuesto; el cumplimiento de pagos acordados con los proveedores.

Finalmente, todas las actividades que son realizadas total o parcialmente, a tiempo o a destiempo, o pendientes por realizar dentro del local, les permitirá a cada uno simplemente decidir: *"Me gusta / No me gusta"*. Dicho de otra manera, la responsabilidad del gerente o dueño y su desempeño serán determinados por cuántas personas (internas o externas) se van hacia el lado del *"Me gusta"*.

Pero aunque este *"Me gusta"* no se puede considerar como una medida tangible de evaluación, un cliente satisfecho que vuelve, un personal comprometido con el proyecto, o unas buenas relaciones con los proveedores, si lo son. Todo esto constituye el mejor valor agregado que el negocio puede ofrecer.

De igual forma, cuando no se realiza una actividad, el alcance del problema es cada vez mayor, y cada persona involucrada lo puede interpretar a su manera, pero es muy probable que todas las personas del entorno, lo utilicen para su propio beneficio, generando otras situaciones no deseadas en forma de espiral, y esto como ya se expresó, también es visual y tangible.

Existen dos escenarios al inicio que se pueden identificar en los emprendimientos de acuerdo al tipo de organización que se desee mantener. Como ya he dicho en otras oportunidades, cada camino de un negocio es un mundo diferente por recorrer. Hay personas que trabajan del lado informal, que se quedan en esa etapa inicial, les va bien, y se sienten satisfechas, sin embargo no es el deber ser, y que no puede ser la realidad que les puede servir a todos, así que me permito acotar esas sabias palabras de Pablo Neruda que seguramente podría agrupar todos los escenarios posibles; "Cada quien es libre de tomar sus propias decisiones, pero queda atado a sus consecuencias".

Enfoque Informal: Se realiza otra actividad adicional que genere ingresos, como trabajos parciales o de empleado. Trabaja una sola persona o un grupo muy reducido en el proyecto, sin ningún tipo de control, es decir, no generan o archivan soportes contables necesarios de cada ingreso o egreso, lo que impide conocer la ganancia. Las actividades no están definidas y no existe una estructura organizativa, lo que genera que uno o todos hacen de todo, y en función a cuándo y dónde se requiera. Se conoce poco de cada proceso (producción, ventas, administración), o no se le da la debida importancia a cada uno de ellos. No se maneja el concepto de marca. Se desconoce o se conoce muy poco del tema fiscal y parafiscal por falta de una asesoría adecuada. El resultado probable es perder el negocio en los primeros dos años de operaciones, producto de los riesgos asumidos.

Enfoque Formal: Se dedica tiempo completo a la actividad. Grupo de personas consolidado, trabajando en equipo y con controles definidos. Actividades orientadas según el lugar que ocupen dentro de la estructura organizativa. Conocimiento de los procesos avanzado. Se cumple con la normativa fiscal y parafiscal, producto de una asesoría. Se trabaja en el alcance y la potencialidad de la marca. Se generan reportes, se revisan y analizan resultados para mejorarlos.

Se presentan a continuación algunas preguntas de referencia como un medio de autoevaluación para cada elemento. Se debe comenzar de forma inversa, es decir, empezar con las preguntas del elemento de estar dispuestos (satisfacer necesidades), y terminar con las preguntas de estar preparados (conocimiento y habilidades). Para que este sistema funcione, debe existir la humildad suficiente como para reconocer los errores y buscar la ayuda correcta para resolverlos, porque, definitivamente, no es difícil engañarse uno mismo:

Estar dispuestos:
¿Qué hago yo para satisfacer las necesidades de los clientes? ¿Un buen producto? ¿Un buen servicio al cliente? ¿Un mejor precio? ¿Qué podría mejorar? ¿Qué hago yo para involucrarme en las necesidades de mis empleados o mi comunidad? ¿Cumplo con los acuerdos de mis empleados?

¿Qué hago yo para tener los pagos al día con los proveedores, o las obligaciones fiscales y parafiscales?

Estar conscientes:
¿Cuál es el mecanismo que se utilizó para llamar la atención de los clientes? ¿Es efectivo? ¿Cómo es la comunicación con mis clientes, empleados, y proveedores? ¿Tengo problemas con frecuencia? ¿Me comunico con mis deudores con frecuencia? ¿Cómo son los comentarios de la comunidad respecto al local o negocio? ¿Favorables o desfavorables?

Estar preparado:
¿Qué hago yo para conocer más sobre mi negocio o el ramo de mi negocio? ¿Conozco la competencia? ¿Qué hago yo para obtener mejores insumos, maquinaria, o equipos para mejorar la calidad de mis productos o servicios? ¿Qué hago yo para mejorar el ambiente de trabajo? ¿Qué hago yo para invertir en infraestructura? ¿Qué hago yo para controlar mi negocio?

Al final los negocios son situaciones reales a las que se le deben dar respuestas, y en la práctica para ser negociados con otras personas. Para esto se requiere que el cliente, la organización y el producto o servicio, estén en equilibrio por medio del conocimiento, las habilidades, la comunicación, y el control.

Resumen.

"Emprender no es ni una ciencia ni un arte,
es una práctica."

Peter Drucker.

En este último capítulo, se van a consolidar todas las ideas de los capítulos anteriores, pero el enfoque que será utilizado para complementar todas estas propuestas, no será para reforzar alguno que otro conocimiento teórico, sino más bien para recordar que existen una gran sumatoria de negociaciones por realizar respecto a cada tema en particular, y por lo tanto, todas las decisiones que de manera estratégica se deban tomar y asumir en consecuencia, definirán el resultado. Como ya se dijo en una oportunidad, no todos pueden saber de todo, todo el tiempo, así que se debe tratar de obtener la mayor cantidad de información posible, para que de esta manera se logre obtener una mayoría de elementos objetivos al momento de tomar una decisión.

En primer lugar, se debe tener claro lo que se desea hacer. Como cabeza de grupo, gerente, líder, jefe, o como se quiera hacer referencia, debe existir dentro de la estructura organizativa, el elemento que guíe, planifique, y determine el procedimiento y la forma cómo deben realizarse las actividades. En caso de no tener experiencia del tema de lo que se desea emprender en esta etapa inicial, buscar información o documentarse también es importante en esta etapa inicial, ya que da una idea general del negocio, en cuanto al capital o personal requerido, localización, comercialización, entre otros temas de interés.

Existe un principio económico que expresa que los recursos son escasos y las necesidades están por encima de ellos, es decir, siempre se vende. La única manera de que esto no ocurra, es porque existan problemas internos con la producción del producto (p. ej. disminución en su calidad), la comercialización no es efectiva, o va hacia un mercado equivocado, la publicidad no logre atraer los consumidores adecuados hacia el producto o servicio, o problemas externos que desmejoran las condiciones del mercado con productos iguales o similares (de fácil sustitución), o distorsiones que se generen en el mercado para tratar de controlarlo (por ejemplo control de precios en los productos).

Como se verá, a lo largo del capítulo, que todos los temas se encuentran unidos de forma estratégica y deben cumplir con determinados requerimientos técnicos, legales, y administrativos, de manera tal que, uno depende de forma directa del otro, y por lo tanto, el efecto dominó que ocurre con un acierto o una acción equivocada, puede ser determinante en el éxito o fracaso de un emprendimiento. Los tres elementos a ser evaluados y su entorno, serán el producto, el recurso humano, y su mercado natural.

El primer elemento debe ser el producto, el cual es la fuente generadora de los ingresos. Dentro de los requerimientos técnicos para producir un bien, se incluye la materia prima, la mano de obra, su proceso de producción (manual o automatizado) y los controles de calidad, características del producto (perecedero, no perecedero), almacenaje del producto terminado. En cuanto al aspecto legal, se podría mencionar, por ejemplo, las condiciones de higiene que se deben cumplir con la manipulación de la materia prima, en caso de ser alimentos, manejo de garantía de los productos no perecederos ofrecidos, entre otros.

El aspecto administrativo abarca el mantener en funcionamiento cada área del negocio, en cuanto a la compra de suministros y materia prima, mantenimiento de equipos, pago de servicios, nómina, funcionamiento del local, manejo de las cuentas por cobrar y pagar, etc. Todos estos aspectos deben ser cubiertos mediante el liderazgo de una persona, como ya se hizo mención en los capítulos anteriores, con la finalidad de lograr objetivos y metas en el corto y mediano plazo.

Ahora bien, el cliente nunca va al producto, y es por esta sencilla razón, el producto o servicio debe cumplir la función de cubrir necesidades para poder venderse, ya sea mediante una publicidad (elemento subjetivo de los clientes), el cliente posea una necesidad real de adquirir el producto (medicinas, servicios, etc.), y que el cliente también posea el poder adquisitivo para comprarlo (elemento objetivo de los clientes).

Con los productos nuevos que se ofrecen en el mercado y que nadie conoce sus características, se utiliza en algunos casos la estrategia de ofrecer muestras gratuitas en lugares muy concurridos para que los consumidores puedan probarlos y decidir si desean incluirlos en su lista de necesidades personales, como por ejemplo, un nuevo champú, cremas humectantes, pasta dental, productos perecederos como alimentos, etc., otros, sin embargo, lanzan eventos en lugares muy concurridos para dar a conocer el potencial y el alcance de los productos, dado que su valor no permite utilizar la estrategia anterior. Esta clase de productos requieren de una segunda fase, la comercialización, donde todos los productos se distribuyen por todas las cadenas para que puedan ser adquiridos por los consumidores finales.

Cuando se logra la apertura de un punto (local), se lanzan algunas promociones de descuentos especiales sobre nuevos productos, o de marcas reconocidas, cuya función primordial es atraer el cliente a comprarlos, y de esta forma darle a conocer sobre un nuevo punto de venta para satisfacer sus necesidades. Estas promociones, generalmente son negociadas con los proveedores de cada producto en particular (marcas), para que el emprendedor no asuma toda la carga.

A medida que los precios de cada bien vayan en aumento, el factor confianza sobre la nueva marca se va aferrando a la decisión de comprar, es decir, al momento de realizar la inversión, como por ejemplo, remodelar una cocina, o la adquisición de un mobiliario para una oficina, las referencias que se puedan obtener del proveedor, y analizar los diferentes presupuestos que se obtengan, empiezan a ser tomadas en consideración. Es por esta razón que en una etapa inicial, se requiera contratar a vendedores experimentados que posean una amplia cartera de clientes, para poder ofertar esos nuevos productos y darlos a conocer, aprovechando ese vínculo entre los vendedores y su cartera de clientes.

Todo este enfoque nos lleva a la sabia conclusión de que si tocamos una puerta o varias y no se abren al principio (que no hay venta), no quiere decir que las demás tampoco se abrirán, al contrario, la posibilidad estadística de que abran la primera puerta aumenta, cada vez más con cada puerta cerrada que se consiga.

Lo que hay que hacer, entonces, es aprender a tocar muchas puertas muchas veces, sin hacer juicios de antemano de lo que pueda o deje de pasar, siempre hay que llamar la atención de los clientes de alguna manera para ofrecerles los productos. Hay productos que son poco conocidos o promocionados, y requieren de una mayor labor de ventas (negociación), pero al final el resultado es el mismo. Todo pasa por un proceso de promoción acertado, pero el plan B como costo de oportunidad, siempre es cambiar de mercancía, servicio, o ramo.

Respecto al personal, independientemente como se desempeñen en sus actividades, según mi criterio existen 03 clases de empleados: Los que no resuelven situaciones y tratan de no involucrarse, los que resuelven situaciones en un momento determinado, y por último aquellos empleados que hacen bien su trabajo y no necesitan resolver nada. Pero se debe tener claro que en la medida que los empleados están menos motivados, la tendencia es a que trabajen como máximo lo estrictamente solicitado, sin aportar ningún valor agregado cuando sea necesario.

Por esta razón, es importante determinar el tipo de comunicación en la Empresa que se desea desarrollar, ya que las políticas que se tomen al respecto, de alguna manera, moldearán el ambiente de trabajo y las interacciones entre los empleados, y por ende, afecten de manera positiva o negativa el desarrollo del grupo.

Estar pendiente de conocer e interactuar con todo el personal para tratar de conocer sus expectativas, intereses, y capacidades, es una de las actividades que se debe realizar de forma periódica (dueños o alta gerencia), ya que pueden ayudar a identificar el tipo de empleado de acuerdo al esquema acá planteado. Para lograr esto, se debe tener en cuenta que se debe realizar lo explicado en párrafos anteriores, en cuanto al reclutamiento del personal, entorno laboral, políticas de incentivos, y métodos de evaluación y control, que puedan determinar de forma objetiva el desempeño de cada uno de ellos.

La política de comunicación dentro de la Empresa en todas direcciones es fundamental. Esto permite un clima de confianza que abre las puertas a resolver problemas planteados de primera mano, oportunidades de mejoras, entre otros aspectos, porque como se dijo en párrafos anteriores, no todos los empleados pueden tener la misma actitud frente a una misma situación.

La idea es tratar de detectar fallas cometidas por los empleados e irlas corrigiendo a tiempo, es decir, que los empleados, por ejemplo, que no se involucran, sean motivados de alguna manera para que se integren al grupo de trabajo y con otra actitud.

Cuando se haga necesario expandir la Empresa, lo más probable es que se requiera de personal capacitado con el perfil necesario para ocupar cada cargo, pero en muchos casos, los primeros candidatos en ser promocionados son el personal interno o los familiares, ya que conocen el negocio o gozan de la confianza del dueño. Pero se debe tener entonces especial interés en hacer seguimiento de esta nueva responsabilidad otorgada, de manera de evaluar su desempeño, pues no podría tener el perfil adecuado para cumplirlo. En este caso, se podrían aplicar los correctivos mediante una capacitación que pudiera compensar la falta, o simplemente tomar la decisión de reubicarlos en otra área donde se encuentren más cómodos.

El mercado es dinámico, está en constante cambio, y por definición es imperfecto. Aunque los compradores y vendedores transan por un bien, la mayoría de las veces no se intercambian con la mejor condición. Esto ocurre básicamente porque no se conocen los precios, características de todos los productos o servicios ofertados en un momento determinado, ya sea al momento de realizar la operación de intercambio, o las expectativas (subjetivas) de cambios en los precios y características de los productos y servicios que se obtengan a futuro.

Los que se afectan principalmente en este escenario son los consumidores o compradores, ya que requieren satisfacer sus necesidades en principio, en un momento determinado, pero al menor costo posible. También existen escenarios donde se afectan los vendedores como consecuencia de una guerra de precios. De ahí la importancia de tener una estrategia clara en cuanto al precio del producto o servicio, respecto al de la competencia, en caso de que se esté vendiendo con características iguales o similares, y dentro del mismo mercado o área.

Se debe tener claro algo: Hay más de siete mil millones de personas en un mundo, seguimos creciendo, y nadie tiene una huella dactilar igual a otra, ni siquiera en cada dedo. Sin embargo, como explica Friedrich Gauss, dentro de un grupo de personas (muestra), pueden existir criterios similares a la hora de escoger algún producto en particular, lo que significa que siempre habrá grupos de personas que se identifiquen con algún producto en específico, y con un precio determinado para cubrir sus necesidades. Hay que llamar la atención y publicitar.

Esto es lo que nos lleva a analizar entonces cuál sería el

mercado más apropiado para captar a un grupo de consumidores de acuerdo a los bienes o servicios ofertados, es decir, sería en un punto donde pasa una gran cantidad de personas, en una oficina donde la única manera de visualizarla es acceder al edificio, tiendas en centros comerciales con determinadas características (por ejemplo, ropa juvenil femenina), ofrecer productos mediante una red social de internet, o simplemente tocando puerta a puerta, para ofrecer los productos o servicios.

También las características del producto, determinan el lugar de las ventas, por ejemplo, un producto exclusivo de una marca reconocida requiere de ciertas condiciones para que el producto pueda ser ofertado. Estas condiciones generalmente son impuestas por la casa matriz que le otorga la concesión (franquicias). Por otro lado, las verduras, las frutas, o las hortalizas, es más lógico encontrarlos en los mercados populares, donde los productores y consumidores se garantizan productos de calidad a un mejor precio, dada la alta rotación de la mercancía.

Es por esta razón que los automercados, compiten con grandes campañas publicitarias para tratar de captar una parte de esos consumidores de ese mercado natural, ofertando también los mismos productos frescos y de calidad. Otro ejemplo podría ser comprar por internet, que brinda la comodidad de hacerlo desde la casa o cualquier otro sitio, y la utilización del servicio de entrega.

Una vez abordados todos los productos o servicios, la mano

de obra, y los mercados en este resumen, nos corresponde hablar sobre los métodos para la evaluación financiera y operativa del proyecto. Para esto, se debe utilizar las herramientas del Valor Presente Neto, que no es otra cosa que traer a valor actual los flujos de caja generados de cada período, para poderlos comparar con la inversión inicial, y de forma nominal. También está la Tasa Interna de Retorno, el cual mide el mismo valor pero de manera porcentual. Traer a valor actual los montos generados por un flujo de caja, significa que se realiza el proceso inverso al cálculo de intereses de una cuenta, es decir, a cada período se le va restando, un monto equivalente al margen de la ganancia que se espera del negocio por cada período hasta llevarlo al período inicial.

Nuevamente, se hace la acotación que la idea principal del ejercicio, es tener una referencia de cómo se obtienen los resultados en este caso, porque son los profesionales financieros, los más idóneos para elaborar el referido estudio de factibilidad financiera o económica.

.

Para una mejor compresión se coloca un ejemplo inicial de cálculo de intereses, en el cual existe un capital inicial o inversión de 100.000,00 colocados en un banco a una tasa pasiva del 10 % anual. Al final de 05 períodos anuales se obtiene 61.051,00 en intereses más el capital.

A continuación la referida tabla:

	Período 01	Período 02	Período 03	Período 04	Período 05	Total
Capital	100,000.00	110,000.00	121,000.00	133,100.00	146,410.00	**100,000.00**
Intereses	10,000.00	11,000.00	12,100.00	13,310.00	14,641.00	**61,051.00**
Monto Total	*110,000.00*	*121,000.00*	*133,100.00*	*146,410.00*	*161,051.00*	*161,051.00*

Como ya se dijo, el Valor Presente Neto (VPN) determina la factibilidad económica de un proyecto, pero se deben incluir todas las partidas que generen ingresos y egresos, a excepción de los costos de reposición de los Activos (Depreciación, Amortización), tal y como se realizó en el tema de pisando tierra.

A continuación se exponen algunas partidas a manera de ejemplo de lo que generalmente se incluye, pero cada negocio adicionalmente puede incluir otras partidas adicionales a las expresadas acá, dependiendo de cuán específico se requiera el estudio, el tipo de actividad que se haga, o el tamaño del proyecto.

Los rubros de ingresos abarcan inversiones, ya sean propias o mediante préstamos, los intereses a tasa pasiva que generan los saldos en los bancos, y los ingresos propiamente dichos que provienen de las ventas del negocio, de uno o varios productos o servicios.

Por el lado de los egresos se encuentran, en primer lugar, todo lo relacionado con los gastos de constitución, trámites, y la permisología necesaria para poder estar al día en esta materia, incluyendo la papelería (facturas). Luego la compra y acondicionamiento de la infraestructura, equipos, mobiliario, mercancías, materia prima, etc.

La contratación de servicios, de adecuación, personal con su respectiva formación (en caso de que aplique), entre otros. Una vez iniciada las operaciones, todos los gastos en operaciones (mantenimiento preventivo o correctivo, compra de insumos), ventas (publicidad, eventos, material POP, viáticos), y administrativos (nómina, beneficios al personal, gastos financieros, pago de honorarios, pago de servicios, pago de impuestos, pago de la deuda (si aplica), etc.).

Cada uno de estos valores proyectados, se colocan en la medida que sean causados, es decir, en el período respectivo, generando así un saldo neto entre lo que ingresa y egresa de cada período del proyecto.

En el cálculo del VPN ocurre un procedimiento contrario al que se aplica a los intereses. Como ya se dijo en el párrafo anterior, se debe aclarar que para el cálculo del VPN se deben incluir todos los ingresos y egresos que se esperan generar, incluyendo la inversión y los respectivos pagos correspondientes al capital e intereses de la deuda, pero para una mayor sencillez y compresión para efectos del cálculo del VPN y lo que representa, se muestra a continuación el siguiente ejercicio, el cual tiene como finalidad el comparar simplemente, la inversión inicial aportada por los socios, contra los ingresos y egresos proyectados para 05 períodos. El porcentaje de ganancia esperado es del 50 %.

	Período 01	Período 02	Período 03	Período 04	Período 05
Inversión Inicial	30,000.00				
Total Ingresos	10,000.00	18,500.00	34,225.00	63,316.25	117,135.06
Total Egresos	3,000.00	7,100.00	14,136.25	26,637.93	47,787.72
Saldo Neto	7,000.00	11,400.00	20,088.75	36,678.32	69,347.34

Los saldos en itálica corresponden a los valores que deben ser modificados a valor actual, aplicando la tasa esperada de ganancia. Al aplicar el 50 % correspondiente a cada período hasta llevarlos todos hasta el período 01, se generan los valores sombreados en negrilla (cuadro siguiente). Luego se suman todos estos valores, y al final se compara con la Inversión Inicial (30.000,00), dando en este caso 32.062,82.

Este resultado significa que además de recuperar el dinero y de ganar un 50 % de lo que se invirtió, existe una ganancia adicional por un monto de 2.062,82 (con respecto al valor a principio de período).

	Valor Actual
Período 01	4,666.67
Período 02	5,066.67
Período 03	5,952.22
Período 04	7,245.10
Período 05	9,132.16
Totales	32,062.82

Para los efectos de verificación, se realiza el mismo procedimiento practicado en el ejercicio de los intereses. Se toman los valores actuales de cada período (negrillas), se le aplica la tasa correspondiente del 50 %, y se obtienen los mismos valores finales del cuadro anterior con saldos netos (itálica) de cada período expresado al principio del ejercicio.

	Período 01	Período 02	Período 03	Período 04	Período 05
Valor Actual período 01	4,666.67				
Ganancia 50%	2,333.34				
Valor Final Período 01	7,000.00				
Valor Actual período 02	5,066.67	7,600.00			
Ganancia 50%	2,533.33	3,800.00			
Valor Final Período 02	7,600.00	11,400.00			
Valor Actual período 03	5,952.22	8,928.33	13,392.50		
Ganancia 50%	2,976.11	4,464.17	6,696.25		
Valor Final Período 03	8,928.33	13,392.50	20,088.75		
Valor Actual período 04	7,245.10	10,867.65	16,301.48	24,452.21	
Ganancia 50%	3,622.55	5,433.83	8,150.74	12,226.11	
Valor Final Período 04	10,867.65	16,301.48	24,452.21	36,678.32	
Valor Actual período 05	9,132.16	13,698.24	20,547.36	30,821.04	46,231.56
Ganancia 50%	4,566.08	6,849.12	10,273.68	15,410.52	23,115.78
Valor Final Período 05	13,698.24	20,547.36	30,821.04	46,231.56	69,347.34

Para finalizar, se debe estar en capacidad de evaluar el negocio de forma estratégica, antes de generar cualquier resultado, y en cualquier momento determinado. Una manera de hacerlo es con la matriz FODA (Fortalezas, Oportunidades, Debilidades, Amenazas), que es la herramienta que permite evaluar las actividades importantes del negocio en un momento dado, es decir, poder determinar mediante el análisis, la toma de una buena o mala decisión al aplicar una determinada actividad o política dentro de la Empresa, y la manera como minimizar su efecto (cuando sea negativo) o utilizarlo a favor (cuando sea positivo), ya que el análisis de los Estados Financieros es vencido, es decir, si se reflejan de manera negativa, solo hay la posibilidad de revertir la situación en el futuro cuando se detecte.

Todo este conjunto de acciones, producto de una estrategia que hace el emprendedor, y la forma como lo realiza, es lo que se conoce como el know-how del negocio, ya que con esto se garantiza su sustentabilidad y crecimiento a futuro. Los Estados Financieros solo representan la sumatoria de todas las actividades en un período determinado, que pueden ser acertadas o desacertadas.

La matriz FODA se focaliza en tres elementos fundamentales a la hora de analizar las actividades: La relevancia de la actividad dentro de la Empresa, dónde se encuentra la actividad o escenario (Interno o Externo), y la determinación si es beneficiosa o no para la Empresa. De ahí surgen cuatro elementos de análisis, como se demuestra a continuación:

Matriz FODA Para evaluar Negocios	Interno	Externo
Positivo	Fortaleza	Oportunidades
Negativo	Debilidades	Amenazas

La relevancia es el primer proceso de filtro: No todo lo que ocurre en la Empresa puede ser catalogado como estratégico o importante. Tener en cuenta las políticas, la misión, y la visión del negocio toman mayor importancia en este sentido.

Pero aunque parezca mentira, muchas veces se hace difícil el determinar, qué es lo realmente necesario de lo que no es, como ya se dijo anteriormente, producto del día a día. Lo fundamental a destacar es que dependiendo del tipo de emprendimiento, unas actividades toman mayor relevancia que otras; los pasos que debe cumplir un empleado administrativo en una compra venta, por ejemplo, necesariamente no son tan rígidos como los procedimientos que deben cumplir los bomberos para apagar un fuego, o tan disciplinados y precisos como un procedimiento militar.

De la misma manera, cuando hablamos de lo interno, se corresponde con las actividades que se pueden controlar, ya sea que se realicen bien o mal. Pero con la situaciones externas, no se puede controlar la dinámica generada en un momento dado, de igual manera pueden favorecer o desfavorecer al negocio.

Entre las Fortalezas (Interno +)
Se encuentran: Experiencia del recurso humano, Procesos técnicos y administrativos para alcanzar objetivos dentro de la organización, Grandes recursos financieros, Características especiales del producto que se oferta, Cualidades del Servicio que se considera de alto nivel.

Entre las Debilidades (Interno -)
Se encuentran: Capital de trabajo mal utilizado, Deficientes habilidades gerenciales, Problemas con la calidad del producto o servicio, Falta de capacitación.

Entre las Oportunidades (Externo +)
Se encuentran: Mercado mal atendido por la Competencia, Necesidad del Producto, Fuerte poder adquisitivo de los

consumidores, Regulación a favor del proveedor nacional.

Entre las Amenazas (Externo -)
Se encuentran: Competencia muy agresiva, Cambios en la Legislación, Tendencias desfavorables del Mercado, Acuerdos Internacionales.

Es importante considerar que los escenarios pueden variar de un día para otro, y lo que constituía una fortaleza en un momento determinado, puede transformarse en una amenaza si no se toman las acciones para evitarlo. Un ejemplo clásico podría ser que el vendedor estrella de la Empresa tome la decisión de irse de la compañía, peor aún si lo contrata la competencia.

Se presenta un cuadro que refleja las acciones que deben ser tomadas de acuerdo a los diferentes escenarios planteados. Para lograr el mejor desempeño, se debe tener en cuenta las siguientes palabras: Fortalezas, Debilidades, Oportunidades, y Amenazas.

Matriz Estratégica	Oportunidades	Amenazas
Para tomar acción		
Fortalezas	La fuerza debe ser utilizada para aprovechar las oportunidades. Es un escenario de expansion.	Se debe evaluar de qué manera las fortalezas pueden ayudar a minimizar las amenazas. Es un escenario de toma de decisiones.
Debilidades	Las debilidades deben ser mejoradas para poder aprovechar las oportunidades. Es un escenario de cambios.	Este es el escenario más adverso, ya que require de una evaluación amplia para minimizar las pérdidas.

Determinar los escenarios en los cuales el negocio se encuentra en un momento determinado es beneficioso, ya que permite tomar acciones, o asumir estrategias en un futuro cercano con la finalidad de obtener mejores expectativas, que de seguro se traducirán en mejores resultados (Estados Financieros).

Con este resumen doy por terminado el libro; pero debo reconocer que siempre habrá algo por decir sobre este tema tan interesante, producto simplemente de que la gente en relación con sus necesidades es razonablemente predecible, pero emocionalmente impredecible. Solo hay que tratar de estar en el momento y lugar correcto para maximizar los beneficios.

Para finalizar, no me queda más que agradecerles a todos su confianza por la compra del libro, y espero haber contribuido en ampliar, de alguna forma, la vista general de lo que implica emprender un negocio.

Algunas citas para la reflexión.

"Al mundo no le importará tu autoestima. El mundo esperará que logres algo, independientemente de que te sientas bien o no contigo mismo".

Bill Gates

"No lo sé, se ha convertido en "no lo sé todavía".

Bill Gates

"Dedicarse a servir cervezas o llevar pizzas, no te quita la dignidad. Tus abuelos lo llamaban de otra forma: Oportunidad".

Bill Gates

"Se triunfa con lo que se aprende".

Coco Chanel

"Tus clientes descontentos son tu mejor fuente de aprendizaje".

Bill Gates

"Viste vulgar y solo verán el vestido, viste elegante y verán a la mujer".

Coco Chanel

"La innovación es lo que distingue a un líder de los demás".

Steve Jobs

"Si su único objetivo en la vida es ser rico, jamás lo logrará".

John D. Rockefeller

"La publicidad y la promoción por sí solas, no van a sostener un mal producto, o un producto que no es adecuado para la época".

Akio Morita

"Nunca he perfeccionado un invento en el que no pensara en términos de su utilidad para los demás... Averiguo qué necesita el mundo, luego procedo a inventar".

Thomas Edison

"El genio es 1 % inspiración y 99 % sudor".

Thomas Edison

"Los emprendedores promedian 3.8 fracasos antes de alcanzar el éxito. Lo que diferencia a los que tienen éxito es su extraordinaria persistencia".

Lisa Amos

"El éxito no es el final, el fracaso no es la ruina, el coraje de continuar es lo que cuenta".

Winston Churchill

"Elige un trabajo que te guste y no tendrás que trabajar ni un día de tu vida entera".

Confucio

"Nunca dejes que tus recuerdos sean mejores que tus sueños".

Doug Ivester

"No hay viento favorable para el que no sabe dónde va".

Lucio Anneo Séneca

"No hay nada más estable que los cambios".

Bob Dylan

"No podemos llegar a sobresalir en el trabajo, si no hacemos otra cosa que trabajar".

Anna Quindlen

"Si quieres que algo sea hecho, nombra a un responsable. Si quieres que demore eternamente, nombra una comisión".

Napoleón Bonaparte

"Acepta la responsabilidad de hacer de tus sueños una realidad".

Les Brown

"Puedes preguntar a los clientes qué quieren y después intentar dárselo. Pero, en el momento que puedas proporcionarlos, ellos querrán algo completamente nuevo".

Steve Jobs

"Si les preguntaran a las personas qué quisieran, seguramente hubieran dicho un caballo más rápido".

Henry Ford

Son muchos los caminos que llevan a Roma, pero ciertamente hay que hacer el esfuerzo de ir para poder llegar, y son muy pocos los que consiguen llegar antes de tiempo o sin esfuerzo..., así que para todos los demás, les recuerdo lo que les dije al principio...

Cada negocio es un mundo diferente que merece ser explorado.

¡Sigan adelante y les deseo Mucho Éxito en lo que estén motivados a realizar!

Para cualquier contacto:
enriquelo20002000@gmail.com
+58 (412) 201-2417
Caracas - Venezuela.